LES CENDRES DE LA HAINE

DAVID MORRELL

LES CENDRES DE LA HAINE

Traduit de l'américain par Maurice B. Endrèbe

PIERRE BELFOND
3 *bis*, passage de la Petite-Boucherie
75006 Paris

Ce livre a été publié sous le titre original
TESTAMENT
par M. Evans and Company, Inc., New York

Si vous souhaitez recevoir notre catalogue
et être tenu au courant de nos publications
envoyez vos nom et adresse en citant ce livre
Éditions Pierre Belfond
3 *bis*, passage de la Petite-Boucherie
75006 Paris

ISBN 2.7144.1212.2

Première partie

1

C'était le dernier matin qui devait les voir réunis : lui, sa femme, sa fille et son fils. Le fils n'était qu'un bébé, la fille allait encore à l'école primaire. Mais cela ne compta pas. Sur l'instant, rien ne compta. Et tout arriva de façon presque comique.

L'homme s'assit à table pour le petit déjeuner, pieds nus sur le plancher, et, regardant vers le fourneau, il vit la chatte effondrée sur l'assiette où on lui versait son lait. C'était une siamoise assez stupide. Elle aimait dormir sur la télévision lorsque le poste était chaud, mais, comme elle n'arrêtait pas de gigoter dans son sommeil, il lui arrivait de tomber entre le poste et le mur. A coups de griffes, elle réussissait à remonter, coulant au ras du poste le regard effaré de ses yeux bleus. Le feu aussi exerçait sur elle une fascination telle que parfois, reniflant de trop près les bougies allumées, elle s'y brûlait les moustaches. Et voilà maintenant qu'elle ne savait même plus boire son lait! Il en fut gêné pour elle et faillit éclater de rire en la voyant essayer de se relever en secouant ses babines ruisselantes. Puis il n'eut plus envie de rire : ses pattes de devant s'affaissèrent et la chatte retomba dans son lait. Ses quatre pattes se raidirent spasmodiquement puis se relâchèrent avec lenteur. Elle ne bougeait plus.

Intrigué, il se leva et se pencha sur l'animal. La siamoise restait immobile au milieu du lait répandu. Il la prit dans ses bras; elle était étrangement molle, pesante. Sa tête ballottait, ses yeux étaient grands ouverts, son poil trempé de lait.

— Mon dieu... s'écria-t-il.

Occupée à installer le bébé sur sa chaise haute et à chauffer le biberon, Claire n'avait rien remarqué. L'exclamation de son mari la fit se retourner et elle fut aussi déconcertée que lui :

— Mais elle allait très bien quand je lui ai ouvert, ce matin...

— Papa, qu'est-ce qu'elle a, Samantha? demanda Sarah. Elle est malade? Qu'est-ce qu'elle a?

Elle avait posé ces questions calmement, mais en regardant un peu de côté comme lorsqu'elle était inquiète. La chatte était à elle et couchait sur son lit. Sarah avait inventé ce refrain :

La nuit, quand je vois Samantha,
Elle n'a même pas de pyjama!

— Tu ferais mieux de monter dans ta chambre, ma chérie, dit-il.

— Mais qu'est-ce qu'elle a, Samantha?

— Je t'ai dit de monter dans ta chambre.

Il pensait savoir ce qui s'était passé, se rappelant que la chatte était sortie et que le vieux bonhomme qui habitait un peu plus loin dans la rue confondait toujours Samantha avec deux autres siamois du voisinage, qui lui tuaient souvent ses rouges-gorges et ses geais. Or la veille, précisément, le vieux avait arrêté Sarah qui jouait avec la chatte sur le trottoir, et lui avait dit :

— Ecoute, petite : à partir de maintenant, garde ta chatte à la maison. Elle tue mes jolis oiseaux et moi, les chats qui tuent mes oiseaux, je les fourre dans un sac que j'attache au tuyau d'échappement de ma voiture. Ou bien j'attends qu'ils soient dans la cour de derrière, et je leur tire dessus!

Sarah avait regagné la maison en courant. Elle s'était

précipitée à la cave pour y cacher la chatte dans la resserre aux vins. Lorsque Reuben avait voulu aller raisonner le bonhomme, l'autre ne lui avait même pas ouvert.

— Qu'est-ce que tu fais? questionna Claire.

— J'essaie de voir si elle a une blessure quelque part... Je pense au vieux salaud qui habite la maison verte...

Mais la chatte n'avait aucune blessure et elle ne semblait pas non plus avoir été maltraitée. Il ne comprenait pas. De quoi diable était-elle morte?

— Pourquoi t'en prendre au vieux... Ça peut être tout autre chose.

— Mais quoi? Dis-moi quoi!

— Comment veux-tu que je le sache? Elle avait seize ans. C'est vieux pour un chat. Peut-être a-t-elle simplement eu une attaque...

— Peut-être... Bien sûr, c'est possible...

Mais il n'en continuait pas moins de penser au vieux.

Sarah pleurait près de lui et, sur sa chaise haute, le bébé se mit à crier. Il alla déposer le corps de la chatte à l'entrée de la cave pour qu'on ne la voie plus puis il prit Sarah par les épaules :

— Allez, viens, ma chérie. Mange ton petit déjeuner et essaie d'oublier.

Elle ne bougea pas. Alors il la souleva de terre pour l'asseoir sur sa chaise, mais elle continua de fixer la porte de la cave. Il réussit à ramener son attention vers la table en lui faisant croire qu'elle n'était pas encore assez grande pour préparer seule sa bouillie de céréales.

Les criaillements du bébé se faisaient de plus en plus aigus, tandis que sa petite figure se plissait comme une vieille pomme. L'ôtant de son perchoir, Claire l'installa sur ses genoux pour lui donner le biberon, dont elle pressa la tétine contre son poignet pour s'assurer que le lait n'était pas trop chaud.

— Quand j'aurai fini de manger, je porterai la chatte chez le vétérinaire, dit-il. Je veux savoir ce qui lui est arrivé.

L'idée du voisin vindicatif l'obsédait. Du poison, peut-être. Si, pour appâter la chatte, le vieux avait laissé dehors un peu de viande empoisonnée, ou un peu de poisson, ou bien encore du lait...

Sarah soulevait à deux mains le lourd pot de lait, afin d'en verser sur ses flocons d'avoine. Elle en fit tomber un peu sur la table et, brusquement, il cessa de penser au vieux pour se rappeler sa rencontre avec Kess, huit mois auparavant, Kess qui avait parlé d'empoisonner des gens. Jésus! Mais non, non... Même Kess n'aurait sûrement pas fait une chose pareille...

Etendant vivement le bras, il referma sa main sur le poignet de Sarah pour l'empêcher de porter à sa bouche une cuillerée de bouillie, tout en disant très vite à Claire : « Le biberon, arrête! » Trop tard! Claire avait déjà introduit la tétine dans la bouche du bébé. Il parut s'étrangler, bougea la tête et devint tout raide.

Kess avait dit :

— *Le poison est une arme magnifique. On se le procure facilement. Celui dont vous avez besoin se trouve sur une étagère chez le pépiniériste du coin. Pour l'administrer à quelqu'un, pas de problème : tout le monde a besoin de boire et de manger.*

Sa voix douce et agréable prenait un ton de plus en plus convaincu à mesure qu'il poursuivait :

— *Son effet est tout à la fois immédiat et certain. Il ne requiert pas la présence de l'assassin; une fois que vous l'avez mélangé à la purée de votre victime, ou bien à son café, à son lait, vous pouvez être à des kilomètres de là, tandis que le poison fait son œuvre, une fois ces aliments absorbés. De plus, les poisons les plus virulents sont aussi les plus difficiles à détecter.*

2

Il allait sans cesse à la grande baie du living-room, guettant l'arrivée de l'ambulance et des policiers. Qu'est-ce qu'ils faisaient? Pourquoi n'étaient-ils pas encore là? Il marchait de long en large. Il s'immobilisa en entendant une sirène. Le bruit strident se rapprochant, il gagna vivement la baie pour regarder le coin de la rue. Mais, un instant tout proche, le hurlement de la sirène décrut en direction du nord et se perdit au loin, bientôt suivi par une seconde qui fit de même. Des ambulances qui se rendent sur les lieux d'un accident. Des policiers qui pourchassent quelqu'un. Mais pourquoi ne venaient-ils pas là?

Par la porte du living-room, il regarda Claire et le bébé dans la cuisine. Claire paraissait frappée de catatonie, considérant d'un œil absent le lait du biberon répandu sur la table. Presque toujours hâlée, la peau fraîche, elle était très séduisante. Mais pendant sa grossesse, et après, quand le bébé les réveillait la nuit, il arrivait que son visage changeât de façon grotesque, devînt blême avec des traits tirés, évoquant une tête de mort. C'était le cas en ce moment. En elle, quelque chose se nouait de plus en plus. Il le sentait. Il appréhendait ce qui se produirait lorsque ce serait insoutenable. Il avait peur qu'elle ne se livre de nouveau à quelque geste fou, comme lorsqu'elle avait jeté le biberon à l'autre bout de la cuisine pendant qu'il était au téléphone pour appeler du secours. La bouteille s'était fracassée sur le carrelage, faisant gicler du lait contre le fourneau et éparpillant du verre brisé partout. Alors, Sarah avait crié : « Arrête! Arrête! » en plaquant ses mains sur ses oreilles, puis elle avait disparu. Où était-elle? Pourquoi n'arrivaient-ils pas? S'inquiétant du traumatisme que tout cela pouvait causer à sa fille, il n'avait qu'une idée : la rejoindre pour la serrer dans ses bras, mais il n'osait laisser Claire. Et sans cesse il pensait... *Kess. Il n'avait pas pu faire une chose pareille. Pas le bébé. Quelles que puissent être ses raisons, il n'avait pas à tuer le bébé. Oh! mon dieu, mon dieu, non, pas le bébé!*

Un an et demi plus tôt, au printemps, il avait failli partir avec une autre femme. Elle était ravissante, pleine d'attentions à son égard. Surtout, elle arrivait à un moment de sa vie où son travail, ses responsabilités envers Claire et Sarah l'enchaînaient. Bien des hommes avant lui avaient fait ce genre d'expérience. Elle était mariée, mais prête à quitter son mari pour vivre avec lui. Au dernier moment, cependant, elle avait déclaré qu'elle n'était pas encore décidée à le suivre, bien que s'étant séparée de son mari. Elle voulait vivre seule quelque temps, pour faire le point, ce qui signifiait que tout était fini. Comme il avait déjà parlé séparation à Claire, il s'était trouvé tout bête.

Ce bébé avait été le moyen qu'ils avaient imaginé pour se forcer à continuer de vivre ensemble. Il avait même assisté à l'accouchement. Il était resté près du lit de Claire durant les quatre heures qu'elle avait été en travail.

Maintenant, Ethan était dans les bras de sa mère, mort. A cause de Kess. Il n'arrivait pas à le croire, il n'arrivait pas à s'en convaincre. Chaque fois qu'il se détournait de la fenêtre et voyait Claire serrant l'enfant contre elle, inondant le petit visage de ses longs cheveux noirs, il revivait l'horreur de ce qui venait d'arriver.

Kess avait dit :

C'est comme une espèce qui n'en finit pas de se reproduire. Pour en venir à bout, il faut tous les exterminer, couper le mal à la racine, détruire tous les surgeons. Considérez-vous comme un privilégié, car je n'avais encore jamais montré ce fichier à un non-militant. Il contient les noms de quelque cent cinquante mille sympathisants, avec leurs dossiers sur microfilm. Certains n'appartiennent qu'à l'espèce la plus ordinaire, mais la plupart sont d'authentiques agitateurs, et bon nombre d'entre eux occupent des postes importants. Si j'en donne l'ordre, il ne faudra pas trois heures pour que chacun d'eux ait une arme en main.

Non, se répétait-il en secouant la tête. Non, pas le bébé! Il fallait qu'il s'occupe pour penser à autre chose. Il se fit du café. Il devait tenir le choc. Le café... Lorsqu'il avait vu la chatte s'effondrer sur son assiette à lait, il avait été lui-même à deux doigts de verser du lait dans son premier café et donc de mourir en même temps qu'Ethan. C'était seulement maintenant qu'il se rendait compte qu'il s'en était fallu d'un rien. En cet instant, il devrait être affalé en travers de la table, tout son corps se vidant par ses sphincters relâchés. Deux jours plus tard, on l'aurait enterré, étendu dans un cercueil bien clos. Dans deux jours ou plus, car si Claire et Sarah avaient elles aussi bu ce lait, personne sans doute ne se serait inquiété de ne pas les voir, et ils auraient commencé à pourrir sur place. Une nouvelle angoisse le saisit.

— Sarah!

Il s'était précipité vers le vestibule. Il l'entendit descendre en courant, le bruit de ses pas étouffé par la moquette des marches de l'escalier.

— Où étais-tu, ma chérie?

— Dans la salle de bains.

Elle regardait anxieusement derrière lui, du côté de la cuisine.

— Qu'as-tu dans ta main?

— De l'aspirine.

— Pour quoi faire?

— Pour en donner à Ethan.

Elle semblait tellement sûre que l'aspirine pourrait ramener Ethan à la vie qu'il souffrit pour elle. Sa gorge se contracta au point qu'il eut peine à articuler.

— Non, ma chérie.

— Mais peut-être qu'il n'est pas vraiment mort! Peut-être que ça va l'aider à se remettre!

— Non, mon amour, murmura-t-il, au bord des larmes.

— Rien qu'un comprimé.

C'était vraiment plus qu'il n'en pouvait supporter. Pourquoi ne m'écoutes-tu pas? Je t'ai dit *non!*

3

L'ambulance freina et s'immobilisa dans l'allée. Ouvrant la porte d'entrée toute grande, il cria au conducteur qui se précipitait vers lui en traversant la pelouse inondée de soleil :

— Vous ne vous êtes pas servi de la sirène.

— Pas besoin. Ça roulait très bien, répondit l'autre.

— Mais vous avez mis très longtemps...

— Dix minutes. Si vous trouvez que c'est beaucoup pour traverser toute la ville!

Le conducteur de l'ambulance était jeune, avec de longs cheveux, des pattes descendant très bas sur la joue, et une moustache. Le médecin qui le rejoignit, tout blond avec des cheveux coupés court et une raie impeccable, paraissait plus jeune encore.

Mon dieu! pensa-t-il en les considérant avec stupeur. C'est de quelqu'un de plus expérimenté que j'ai besoin! Pourquoi l'hôpital n'a-t-il pas envoyé un médecin plus âgé?

Mais ils traversaient déjà le living-room en direction de la cuisine tandis qu'il essayait de les mettre au courant. Ils s'immobilisèrent à la vue de Claire. La peau de son visage semblait s'être tendue encore davantage, faisant saillir le menton et les pommettes. Ses yeux avaient quelque chose d'effrayant à voir. Elle les regardait fixement, le bébé raidi contre son sein. Lorsque le médecin esquissa un geste vers elle, elle recula au fond de la cuisine; finalement, ils durent s'y mettre tous les trois pour lui prendre l'enfant. D'avoir dû lutter ainsi contre elle, il se sentit au bord de la nausée. Le médecin se livrait aux examens habituels, cherchant avec son stéthoscope à percevoir des battements de cœur, scrutant la pupille de l'œil avec une lampe-stylo; mais le bébé était bien mort.

— Dans un corps pourtant si petit, la rigidité cadavérique est déjà sensible. Mieux vaut qu'elle ne voie pas ça.

Mais lorsque le conducteur voulut emporter l'enfant vers l'ambulance, Claire poussa un cri et tenta de le lui arracher.

— Tenez votre femme, dit le médecin, tamponnant vivement le bras de Claire avec un coton.

L'odeur de l'alcool à 90° frappa ses narines et, le cœur déchiré, il lutta de nouveau avec Claire, lui serrant si fortement les bras qu'il sentit les os à travers la chair.

— Claire... Je t'en prie, Claire...

C'était tout ce qu'il parvenait à dire. L'espace d'un éclair, il pensa la gifler, pour la calmer, mais il se sentit incapable d'un tel geste.

Le médecin la piqua dans le haut du bras. Elle se cabra si violemment que l'aiguille semblait s'être brisée en lui déchirant la peau, mais le médecin avait déjà terminé et retirait l'aiguille. Puis ils entraînèrent Claire vers l'escalier, vers sa chambre où elle se cramponna à la poignée de la porte, répétant : « Mon bébé... Je veux mon bébé! » tandis qu'ils détachaient ses doigts du bouton de porcelaine et la tiraient jusqu'au lit, l'y maintenant de force. Elle se débattit, gémissant « Je veux mon bébé », puis s'affaissa lentement, roula sur le côté et se mit à pleurer, les jambes repliées, le visage caché dans ses mains. Alors, peu à peu, ils relâchèrent leur étreinte.

— Non, ne cherchez pas à lutter, lui dit le médecin. Au contraire, calmez-vous, détendez-vous... Essayez de ne pas penser.

Il alla baisser les doubles rideaux, qui ne laissèrent plus filtrer qu'une mince raie de lumière.

Le lit n'avait pas été fait. Claire gisait sur les draps

froissés, ne cessant de pleurer, ne s'interrompant que pour reprendre son souffle. D'ordinaire, elle portait toujours des jeans à la maison; mais ce jour-là elle avait mis une jupe orange, une jupe plissée qui, maintenant remontée, laissait voir une fesse partiellement voilée par une culotte de soie bleue, d'où entre les jambes émergeaient quelques touffes de poils. Jetant un regard au médecin, Reuben se sentit gêné pour elle et rabaissa sa jupe. Claire se jeta de côté afin d'échapper à son contact.

— Laissez-vous aller... Cédez au sommeil, commanda le médecin en se penchant au-dessus d'elle. (Il demeura un moment à l'observer, puis se redressa lentement.) Ça agit. Dans une minute, elle dormira.

Puis, se tournant vers lui, le médecin demanda :

— Et vous, comment vous sentez-vous?

— Je ne sais pas.

Il voulut déglutir, mais sa bouche était trop sèche.

— Ça va, je crois... Oui, ça va aller...

— Tant mieux! dit le médecin en sortant de sa trousse un petit tube de plastique contenant de longues gélules jaunes.

— Prenez-en deux avec un grand verre d'eau. Les deux autres, vous les prendrez au moment de vous coucher. Et en voici une pour votre petite fille. N'oubliez pas : un grand verre d'eau. Surtout pour la fillette.

Il se demanda où était Sarah. Il l'avait vue au rez-de-chaussée, puis elle avait disparu.

— Attendez... Ces trucs ne vont pas me faire dormir, n'est-ce pas?

— Non, ne vous tracassez pas.

— Je ne veux surtout pas dormir! Je...

— Elles vont simplement vous aider à vous détendre. Inutile de me faire des yeux comme ça : je vous dis la vérité. Vous vous sentirez peut-être légèrement étourdi; interdiction de conduire et surtout pas d'alcool, sinon vous vous écroulerez.

Claire pleurait plus doucement à présent. Elle semblait presque endormie.

— Je vais rester avec elle jusqu'à ce que je sois sûr qu'elle dort, dit le médecin. Vous, allez m'avaler ces gélules.

Il la regarda, hésita un instant, puis fit ce qu'on lui avait dit.

4

Dans la salle de bains, de l'autre côté du couloir, il repensait au lait empoisonné, et considéra avec malaise le verre qu'il tenait dans sa main. L'eau en était trouble, comme toujours après plusieurs jours de grosses pluies. Néanmoins, il ne put s'empêcher de craindre qu'elle n'ait pris cet aspect sous l'effet d'un poison. Et les gélules. Mais il se dit qu'il était ridicule. A supposer même que Kess eût prémédité un second moyen de le tuer, il aurait choisi quelqu'un de plus âgé que ce jeune médecin pour rendre crédible son stratagème. Et si ce médecin blond avait vraiment été l'émissaire de Kess, il aurait pris grand soin de décliner son identité ou de lui dire quel hôpital l'envoyait pour lui inspirer confiance. Alors que ce jeune toubib n'avait strictement rien dit et avait tout de suite fait ce qu'un vrai médecin doit faire.

L'eau avait un goût de terre, peut-être pour masquer le goût de ces gélules qui pouvaient être du poison... Il eut du mal à les avaler et dut boire à grands traits pour réussir à les ingurgiter. Après quoi, laissant le robinet ouvert, il fit couler de l'eau froide sur ses mains et s'en aspergea le visage à plusieurs reprises.

Tu savais quel genre d'homme était Kess. Tu le savais

avant même de l'avoir rencontré. Que diable avais-tu donc en tête?

L'année précédente, en décembre, trois des lieutenants de Kess avaient été inculpés de tentative d'assassinat. Cela se passait à Hartford, dans le Connecticut. Leur cible était un sénateur réélu pour la troisième fois. Ils avaient fixé une bombe à retardement sous l'estrade du haut de laquelle ce sénateur devait prononcer un discours très attendu. Il avait échappé à la mort parce que, à un moment de sa conférence, il était descendu de l'estrade pour se rapprocher davantage de son auditoire... Huit personnes, assises au premier rang, avaient été grièvement blessées. Quant aux organisateurs de l'attentat, ils appartenaient à un commando que l'organisation de Kess avait implanté au Connecticut; l'un était policier, l'autre pompier, et le troisième professeur à l'Ecole nationale d'agriculture, des citoyens estimés de leur entourage.

Vingt-quatre heures plus tard, dans l'Etat de New York, une ferme et ses dépendances, où les Enfants de Jésus avaient installé un camp de vacances, recevaient six obus de mortier en l'espace d'un quart d'heure. Bilan : deux filles et un garçon tués; deux garçons brûlés par l'explosion, et plusieurs autres jeunes gens blessés par des éclats. A la tombée de la nuit, la police avait fait une descente dans un club de chasse isolé, appartenant à un autre lieutenant de Kess, et qui était utilisé comme terrain d'entraînement; cinq furent arrêtés et des armes saisies : huit mitrailleuses, trois bazookas, deux mortiers, un lance-roquettes antichar, huit radios de campagne, plus tout un assortiment de fusils, de pistolets, de revolvers et un stock de munitions.

En chacune de ces circonstances, Kess avait affirmé tout ignorer de ce que complotaient ses chefs de commandos. Il en avait paru sincèrement choqué. Une semaine plus tard, le jour de Noël, la police opérait une perquisition à son domicile de Providence, dans l'Etat de Rhode Island. On y découvrit douze mitraillettes et deux caisses de grenades; en conséquence de quoi il fut inculpé d'infraction à la loi régissant la détention des armes à feu. Kess avait été également accusé d'avoir organisé l'attaque et le cambriolage d'une armurerie militaire dans l'Illinois.

Aujourd'hui, en septembre, au-dessus du lavabo où s'écoulait l'eau ruisselant de son visage, il se rappelait combien il avait été attentif à toutes les nouvelles concernant l'arrestation de Kess, car il mourait d'envie de voir à quoi il ressemblait. Mais la presse n'avait publié aucune photographie de lui. Il se souvenait de tout le mal qu'il s'était donné, de tout le temps qu'il lui avait fallu pour obtenir de rencontrer Kess... Brusquement, il pensa de nouveau à Ethan. Il s'obligea à concentrer son esprit sur la sensation de fraîcheur que lui procurait l'eau sur son visage. Puis il s'essuya aussi énergiquement que possible pour s'empêcher de penser. Occupe-toi, se dit-il. Fais quelque chose.

Quoi par exemple?

Eh bien, cherche Sarah. Trouve-la.

Il la découvrit dans sa chambre à l'autre bout du couloir. Adossée à la tête du lit sur lequel elle était à demi étendue, Sarah faisait semblant de lire, mais elle tenait son livre à l'envers.

— J'ai besoin de toi, lui dit-il.

Elle tourna une page et demanda calmement :

— Est-ce que maman va mourir aussi?

Il éprouva dans la poitrine une nouvelle crispation si douloureuse qu'il en ferma les yeux.

— Non. Mais elle est terriblement bouleversée. Il nous faut faire tout notre possible pour l'aider. C'est pour cela que j'ai besoin de toi.

Il rouvrit les yeux. Elle avait posé le livre et regardait son père en plissant les paupières :

— Est-ce que maman a eu mal quand le docteur lui a fait cette piqûre?

— Un peu.

Il se hâta de dire :

— Ma chérie, quand le docteur sortira de la chambre, je crois que maman aimerait que tu ailles la border et aussi que tu t'étendes à côté d'elle. Elle sera endormie et ne saura pas que tu es là, mais lorsqu'elle se réveillera il faut que l'un de nous soit près d'elle pour lui parler. Peux-tu t'en charger?

Elle fit oui, de la tête.

— Tu m'as bousculée, tu as crié après moi...

— Je sais, dit-il. Je te demande pardon.

5

Ils l'attendaient en bas, dans l'encadrement de la porte d'entrée, sur le seuil baigné de soleil, leurs yeux braqués sur lui. Il descendit à leur rencontre. L'un était grand, avec des hanches fortes, l'autre très maigre. Ils avaient sorti leur insigne. Tout le temps qu'il mit à descendre l'escalier en se cramponnant à la rampe, ils ne cessèrent de l'observer.

— Je m'appelle Reuben Bourne, leur dit-il.

Il s'était assis près de la table, dans la cuisine. Le grand lui posait des questions, l'autre regardait le lait répandu, les débris de verre autour du fourneau.

— Mon nom est Webster, et lui c'est Ford, dit le grand. Savez-vous quel genre de poison a été utilisé?

— Non.

Il se rappelait avoir déjà entendu leurs noms quelque part, mais son esprit devenait brumeux, à cause des gélules, et il n'arrivait pas à les situer.

— Savez-vous comment le bébé a été amené à en absorber?

— Oui. Le poison se trouvait dans le lait qu'on a livré ce matin.

— Dans le lait? répéta Webster d'un ton incrédule tout en échangeant un regard avec Ford.

— Oui. Ma chatte en est morte, elle aussi. Je l'ai déposée en haut des marches de la cave.

Oui, les gélules faisaient certainement leur effet, car sa propre voix lui semblait maintenant très lointaine.

Ford alla examiner la chatte, en enjambant le lait répandu et les débris de verre. Il parut à Reuben qu'il mit longtemps à franchir les quelques mètres qui le séparait de la porte de la cave. Las d'attendre qu'il y soit parvenu, Reuben se tourna lentement sur sa chaise et, d'où il était assis, il put voir à travers le living-room la grande baie devant laquelle l'ambulancier avait garé son véhicule en marche arrière, juste entre les deux sapins. Il apercevait l'homme assis derrière son volant. Il se repeignait en regardant dans le rétroviseur.

— Monsieur Bourne, dit Webster, je vous ai demandé si vous aviez une idée quant à la façon dont ce lait a été empoisonné.

— Kess, répondit-il sans cesser de fixer l'ambulance. Les rideaux étant tirés, le soleil découpait l'ombre d'une petite forme, mais il n'était pas certain qu'il s'agisse d'Ethan.

— Que dites-vous?

— C'est un certain Kess qui a fait ça.

— Vous connaissez cet homme? Vous êtes sûr que c'est lui qui a empoisonné le lait?

— Pas personnellement. Je veux dire : je le connais, mais je ne pense pas qu'il ait agi lui-même. Beaucoup plus vraisemblablement, il aura ordonné à quelqu'un de faire ça. Je l'ai rencontré au début de cette année, à propos d'un article auquel je travaillais.

Sa voix lui paraissait de plus en plus étrangère. Il commençait à manquer de souffle. Parler l'épuisait.

L'ambulancier avait fini de se recoiffer.

— Monsieur Bourne, regardez-moi, je vous prie, dit Webster.

Il dut faire un effort pour se tourner vers le policier.

— Que voulez-vous dire en parlant d'un article auquel vous travailliez?

— Je suis écrivain.

— Non! C'est vrai? s'exclama Ford avec intérêt, en revenant de la porte de la cave. (C'était la première fois qu'il parlait.) Qu'est-ce que vous écrivez? J'ai peut-être lu quelque chose de vous.

— Des romans. Des nouvelles.

Tout était beaucoup trop compliqué pour être expliqué. C'est à cause de ce qu'il écrivait qu'Ethan était mort, mais il sentait trop ses forces diminuer pour être en état de le leur faire comprendre; aussi il se rabattit sur la réponse standard, empreinte de modestie, qu'il faisait aux gens l'interrogeant sur son travail :

— J'ai eu un coup de chance, voici trois ans, avec un roman qui a presque été un best-seller et dont on a tiré un film.

Il en donna le titre.

— Celui-là, je ne crois pas l'avoir vu, dit Ford.

Webster promena son regard autour de la cuisine et du living-room. La maison datait de plus de cent ans, ce qui voulait dire que le livre avait dû rapporter suffisamment d'argent pour que Bourne pût l'acheter et la restaurer. Avec ses murs au mortier apparent, ses boiseries sombres, elle évoquait de vieilles photographies pleines de choses faites pour survivre aux hommes qui les ont conçues.

De toute évidence, Webster pensait que Reuben avait effectivement eu un drôle de coup de chance.

— Et cet article dont vous parliez?

— Quand un roman ne vient pas comme je le voudrais, je le laisse parfois de côté durant quelque temps, et je m'essaie à un article. Or, Dieu me pardonne, en décembre dernier, justement, il était arrivé à Kess des choses qui m'ont donné envie d'écrire un article sur lui.

— Qui est-ce, au juste? demanda Ford.

C'était vraiment trop long à expliquer. Reuben avait

l'impression que son cerveau tournait lentement dans sa tête et que la cuisine se mettait à tanguer comme un bateau ivre. En s'appuyant aux murs, il passa de la cuisine au living-room, où se trouvait sa bibliothèque.

— Qu'y a-t-il? questionna Webster. Que faites-vous?

— ... vous chercher ça, répondit-il en se demandant s'il arriverait à regagner sa chaise dans la cuisine.

Il ouvrit le magazine à la page où était paru son article.

— Le mieux est que vous lisiez... Je ne saurais pas vous l'expliquer aussi bien.

6

Chemelec est le siège de l'organisation que dirige Kess, c'est là qu'il a son poste de commandement. Chemelec se dresse au milieu d'un grand terrain découvert, aux abords de Providence, dans l'Etat de Rhode Island. C'est une vaste construction à un seul étage, qui donne assez l'impression d'un énorme bunker, d'autant qu'elle est dépourvue de fenêtres et entourée d'une haute clôture électrifiée le long de laquelle patrouillent plusieurs gardes armés.

Chemelec fabrique des produits chimiques et du matériel électronique, mais tire surtout profit des importantes subventions que lui versent plusieurs grandes firmes américaines. Car, dès le commencement, Kess s'est prononcé pour l'abolition des syndicats. Ses militants participent aussi au financement de Chemelec. Il leur importe en effet que cette dernière continue d'être rentable, afin d'être assurés de pouvoir compter, en cas d'urgence, sur ces produits chimiques et sur ces instruments électroniques indispensables pour la fabrication d'explosifs ultra-sophistiqués soit pour déclencher une guerre chimique, soit pour brouiller les liaisons-radio de l'ennemi.

La compagnie a été fondée par Kess en 1965; elle résulte de la fusion de deux autres entreprises qu'il dirigeait et qui ont fait faillite en 1964 à cause, affirme Kess, des pressions exercées par le gouvernement sur ses clients pour les inciter à ne pas renouveler leurs contrats. Mais ce n'est là qu'une des conséquences de son désaccord avec le gouvernement et non la cause de ce désaccord. Kess faisait partie de ces troupes américaines qui, ayant envahi l'Allemagne, en 1945, reçurent l'ordre de s'arrêter pour laisser les Soviétiques avancer de leur côté. A cette époque, il n'avait que vingt ans et aucune formation politique. Mais comme il avait pressenti ce qui allait se produire, en Allemagne, entre l'Amérique et l'U.R.S.S., ajouté au fait d'avoir vu tant de ses camarades mourir au combat, il affirma avec insistance que les Etats-Unis avaient le droit d'occuper l'Allemagne pour leur seul compte. Il le proclama avec tant de force qu'il reçut l'ordre de garder pour lui ses opinions; et comme il n'obtempéra pas, il fut réformé par les psychiatres qui diagnostiquèrent une paranoïa agressive.

En 1963, il chassait dans le Michigan avec cinq de ses anciens camarades de guerre, lorsque, dans un bois, quelqu'un tira sur eux par erreur. Il apparaît clairement qu'ils prirent une sorte de plaisir à l'incident, se mettant aussitôt à couvert, puis se déployant de façon à encercler l'homme. Ils firent feu sur lui à plusieurs reprises, faisant exprès de le manquer d'extrême justesse, l'amenant ainsi à leur rendre son fusil. Après quoi, ils passèrent le reste de la journée à le terroriser jusqu'au moment où ils le chassèrent hors du bois en hurlant. Ce qui les ravit le plus, en la circonstance, fut de constater que, même après avoir quitté l'armée depuis tant d'années, ils gardaient toute leur présence d'esprit sous le feu et savaient toujours comment opérer pour mener à bonne fin la capture d'un ennemi. Du coup, les six vétérans se racontèrent leurs souvenirs de guerre et estimèrent que, si jamais leur pays devait être attaqué — selon eux, c'était très probable —, ils seraient en état de mener un bon combat. Ce soir-là, un verre à la main, ils rediscutèrent de la question, imaginant ce qu'ils feraient en cas d'invasion : ils camperaient dans les collines, d'où ils mèneraient des actions de guérilla, attaquant ici une patrouille, là un dépôt de munitions, et se repliant aussitôt dans les bois avant qu'on ait pu leur donner la chasse. Bien sûr, l'idéal était que l'ennemi ne pût jamais avancer à l'intérieur du pays, mais cela exigeait des préparatifs de défense extrêmement poussés; or ils étaient convaincus de l'incapacité du gouvernement à les mener à bien, car, de leur point de vue, il était noyauté par des espions de l'ennemi ou par des gens ayant pactisé avec l'ennemi. Ce fut Kess lui-même qui trouva le nom de leur organisation : Les Défenseurs de la République.

— A présent, votre femme repose.

Levant les yeux, il vit le médecin sur le seuil de la cuisine, qui s'était approché sans bruit sur le tapis du living-room. Reuben constata qu'il était de nouveau parfaitement coiffé.

— Elle se réveillera vers six heures. Elle sera groggy et ne voudra pas manger, mais faites-lui prendre quand même un peu de soupe ou de bouillon, et si elle se montre de nouveau agitée, voici encore deux pilules. Votre pied vous fait-il très mal?

— Mon pied?

Reuben baissa les yeux. Son pied nu lui parut très éloigné, comme s'il le regardait par le mauvais bout d'une longue-vue et il en éprouva une sensation de vertige qui faillit le faire choir par terre. Son pied droit avait l'ongle du gros orteil à demi arraché, et du sang noirâtre s'y était coagulé. L'orteil lui semblait comme engourdi, mais il avait cru que c'était l'effet des gélules.

— Je ne m'en étais même pas aperçu... Cela a dû se produire quand il nous a fallu maîtriser Claire. Je le soignerai après votre départ. Avoir quelque chose à faire m'occupera l'esprit.

— J'ai besoin de votre autorisation pour pratiquer l'autopsie.

Il ne s'y attendait pas. Dans sa tête, une image se forma aussitôt et il vit le médecin inciser la petite poitrine d'Ethan, pour le déviscérer.

— Bon... soit... dit-il vivement en regardant avec fixité les deux pilules déposées dans le creux de sa main, afin d'oblitérer l'image de la petite poitrine béante. Vous m'avez menti à propos de ces gélules.

— Elles détendent, non?

— Oui... Si vous considérez qu'avoir envie de se laisser tomber par terre est une forme de détente.

Le médecin sourit tout en prenant sa trousse.

— Si vous voulez bien m'accorder une minute, docteur, dit Webster.

— D'accord, fit le médecin en se tournant vers lui.

— Non. Pas ici.

Bourne se demanda ce qui se passait, tandis que Webster emmenait le médecin hors de la cuisine, lui faisait traverser le living-room et disparaissait avec lui. Puis la voix de Webster lui parvint du vestibule. Le policier parlait sans élever le ton, mais sa voix n'en portait pas moins jusqu'à la cuisine.

— Je ne doute pas que vous vous en soyez inquiété, docteur. Mais comme vous avez fait enlever le corps avant que j'aie pu l'examiner et le faire photographier, je veux savoir s'il portait des traces d'ecchymoses. Un de nos hommes vous assistera lors de l'autopsie et nous allons faire autopsier la chatte par un vétérinaire de la police. Ne prenez pas ça en mauvaise part; simplement, l'affaire nous paraît si étrange que nous voulons y voir clair.

Tout en écoutant, Bourne observait Ford qui, dans la cuisine, faisait de son mieux pour paraître occupé, considérant longuement le sol, puis la table où le lait avait été répandu, puis les débris de verre près du fourneau, comme si c'était là des indices décisifs qu'il n'avait pas encore remarqués. Finalement, il alluma une cigarette et, heureux d'avoir une occasion de parler, en proposa une à Bourne; sans attendre sa réponse, il ajouta :

— Webster ne vous veut aucun mal, vous savez... C'est simplement sa façon d'être. La dernière fois qu'il a sympathisé avec quelqu'un, c'était voici une dizaine d'années. Un type avait eu sa gosse de huit ans violée et tuée; Webster s'est assis et a parlé avec lui. Le type était convaincu que le coupable était un lycéen au comportement étrange. Dès que Webster l'eut quitté, le type prit son fusil, se mit à chercher ce lycéen et, l'ayant trouvé avant Webster, il lui fit sauter la cervelle. Et comme si ça n'était pas suffisamment moche comme cela, il s'est avéré finalement que ce pauvre garçon n'était pas coupable.

— Oui, mais moi je ne me trompe pas.

— Sans doute. Cependant...

Le médecin s'en alla. Il le regarda refermer la porte d'entrée. Webster revint dans la cuisine.

— Vous n'avez pas à vous tracasser au sujet d'éventuelles ecchymoses. Je n'ai pas l'habitude de battre les bébés de cinq mois.

— Vous avez entendu? dit Webster.

— Oui.

— Je regrette sincèrement que...

— Vous le pouvez!

— Je voulais dire : je regrette que vous ayez entendu. Mais, puisque vous êtes au courant, autant en parler franchement. Du poison dans du lait, c'est pour moi une chose toute nouvelle. J'ai déjà vu quelques cas similaires, où le bébé était soi-disant mort parce qu'il avait accidentellement avalé un décolorant, de l'encaustique ou du produit pour l'argenterie. Mais, à l'autopsie du corps, on s'apercevait que ça n'était pas un accident, que le corps du bébé présentait des traces de coups, qu'il avait le foie ou la rate éclatés, des articulations démises, et que ses parents l'avaient tout simplement achevé, étant assez stupides pour s'imaginer que nous ne remarquerions pas les ecchymoses. Donc, vous nous dites que c'est Kess l'assassin, et je n'ai aucune raison de mettre votre parole en doute. Mais je tiens à envisager toutes les hypothèses possibles. D'ailleurs, si je n'agissais pas ainsi, vous estimeriez que je fais mal mon travail. Des crimes par armes à feu ou couteaux, c'est malheureusement fréquent, pour ne pas dire habituel. Mais j'ai deux gosses, et quand j'entends dire qu'un bébé est mort empoisonné je vois rouge!

7

L'ambulance était partie depuis longtemps. Les gens du laboratoire, les photographes de la police, les spécialistes des empreintes digitales étaient venus et repartis. De l'autre côté de la rue, des femmes regardaient la dernière voiture de police à se trouver encore là, tout en observant du coin de l'œil les trois hommes qui sortaient de la maison. Sous l'éclatant soleil, Ford tenait deux sacs en plastique renfermant l'un la bouteille de lait à demi pleine, l'autre le corps raidi de la chatte. Quand Webster lui remit une carte sur laquelle il avait inscrit un numéro de téléphone, Bourne constata qu'il n'arrivait toujours pas à se remémorer ce que leurs noms lui rappelaient. Son orteil lui faisait très mal... Brusquement, il sut ce que lui rappelaient les noms des policiers : tout simplement ceux de Webster et Ford, les deux dramaturges élisabéthains! Comme il s'était mis à rire tout seul, Webster s'enquit vivement :

— Qu'y a-t-il?

— Oh! rien... C'est simplement ce médicament que le docteur m'a donné...

— Vous feriez bien d'aller vous étendre.

— Oui, vous avez raison...

Il esquissa un triste sourire, se reprochant de ne pas

se sentir bien. S'il continuait ainsi, comment ferait-il quand Claire ou Sarah se réveillerait? Et sa vue l'inquiétait aussi. Tout à l'heure, il avait de la cuisine une vision grisâtre, aussi trouble que l'eau du lavabo dans le verre. Maintenant que, appuyé à la balustrade du porche, il regardait les deux policiers se diriger vers la voiture de patrouille, la clarté du soleil lui paraissait si intense que, même avec une main en visière, les yeux lui faisaient mal. Il vit la voiture remonter l'allée, atteindre la rue et, juste comme elle disparaissait, le téléphone sonna.

La porte d'entrée était ouverte et l'appareil le plus proche se trouvait au fond du vestibule. Se hâtant de son mieux, il réussit à s'emparer du combiné avant que la sonnerie de l'autre appareil, à l'étage, ait pu réveiller Claire ou Sarah.

— Allô... fit-il en se laissant tomber sur le tabouret du téléphone.

Dans le récepteur, il entendit une voix d'homme râpeuse. La peur l'envahit de nouveau.

— Ouais, les cognes viennent de filer... Mais qu'ils soient là ou pas, on s'en fout... On t'aura toi aussi, te bile pas!

— Quoi? fit-il en se redressant. Qui est à l'appareil?

— Disons que c'est un pote d'un pote à toi... Mais, à vrai dire, z'êtes pas tellement copains-copains tous les deux, hein? J'ai vu que c'est seulement ton nouveau-né qu'ils ont embarqué dans l'ambulance. Alors c'est pour que tu saches que c'est juste un commencement. Vous y passerez tous. C'est comme si c'était fait.

— *Non!* essaya-t-il désespérément de dire. *Non, pour l'amour du ciel! Vous m'avez fait assez de mal comme ça!*

Mais il n'en eut pas le temps : un déclic, et son oreille ne perçut plus que le bourdonnement de la tonalité.

8

Il resta un long moment effondré sur le tabouret, à écouter ce bourdonnement continu. Il n'avait pas la force de se relever ni même de reposer le combiné sur son support. Il était glacé, ses mains tremblaient, ses genoux aussi; il était sûr que, s'il essayait de se mettre debout, il ne parviendrait pas à garder l'équilibre. Et la voix râpeuse continuait de bourdonner dans sa tête. Il avait le sentiment que la vulgarité était feinte, qu'on avait fait exprès de lui parler ainsi. Pour une raison qu'il ne s'expliquait pas, cela l'effrayait encore davantage. Il avait froid. Son ventre fondait en un brûlant liquide.

Mon dieu! Comment ce type pouvait-il savoir qu'on avait mis Ethan dans l'ambulance et que les policiers venaient tout juste de partir? D'où lui téléphonait-il donc? Il devait être tout près. Mais il n'y avait pas de cabine téléphonique dans les parages. Dans ce cas, où pouvait-il être?

Dans une maison de la rue ou dans celle qui faisait le coin.

La porte d'entrée était restée ouverte. Il regarda la maison d'en face, de l'autre côté de la rue. Les femmes étaient encore sur le trottoir, discutant entre elles et lorgnant dans sa direction. Avant même d'avoir eu conscience de ce qu'il faisait, il se remit debout et ferma la porte.

Pourtant, aucun voisin n'aurait pu faire ça. Il en était certain. Il les connaissait tous et entretenait des relations amicales avec plusieurs d'entre eux. Non, même le vieux des oiseaux n'aurait pas fait une chose pareille. Puis il se rappela que l'homme du téléphone avait déclaré être « un pote d'un pote à toi »... Il se rappela aussi cette autre chose que Kess lui avait dite, plusieurs mois auparavant :

Nous ne sommes pas seuls à agir. Il existe des douzaines d'organisations comme la nôtre. La nôtre compte vingt mille militants parfaitement entraînés, et vingt mille autres prêts à subir un entraînement spécial si les circonstances l'exigent. Additionnez ces chiffres avec ceux de tous les autres groupes loyalistes de ce pays, et vous arriverez à un total qui n'est pas loin d'atteindre celui des effectifs de Marines, qui se montaient à deux cent quatre mille hommes la dernière fois que je l'ai vérifié. Et les nôtres sont partout, dans l'industrie comme dans le gouvernement, l'armée ou la police. L'homme à qui vous achetez votre voiture, le père tranquille qui habite à deux pas de chez vous, n'importe qui peut très bien appartenir à notre organisation.

Il était resté adossé à la porte. Sarah était devant lui. Elle se tenait l'estomac à deux mains :

— Papa, j'ai mal!

— Comment ça, mal? demanda-t-il.

— J'ai envie de vomir.

Les gélules du docteur! Soudain, il se demanda si le médecin n'était pas en fait un homme de Kess, si les gélules ne contenaient pas un poison agissant lentement afin de donner au soi-disant médecin le temps de prendre le large.

La panique faillit le submerger. Mais il réagit en voyant le visage que sa fille levait vers lui. Un poison agissant lentement était exclu car, à l'apparition des premiers symptômes, il aurait été encore temps d'absorber un antidote ou de procéder à un lavage d'estomac.

Bien sûr.

Il y réfléchit de nouveau.

Sans aucun doute.

— C'est parfait, dit-il aussi calmement que possible. Lorsque tu auras vomi, tu te sentiras mieux. Viens.

Il la conduisit dans la salle de bains où il leva le couvercle des W.C.

— Si tu as envie de rendre, ne te retiens pas, laisse

ton estomac se vider, lui dit-il gentiment. Agenouille-toi là. Je vais te tenir le front. N'aie pas peur.

— Papa? fit-elle tout en s'agenouillant devant le siège.

— Oui, ma chérie?

— Est-ce que je vais avoir une de ces choses que dit maman?

— Une quoi, ma chérie? Je ne te comprends pas bien...

— Une de ces choses que maman pensait que Samantha avait eue parce qu'elle avait seize ans.

Il ne comprenait toujours pas. Il essaya de se remémorer le moment où la chatte s'était affaissée et ce que Claire avait pu dire alors. Après ce qui était arrivé à Ethan et le reste, tout paraissait maintenant terriblement loin.

— Tu veux parler d'une attaque?

— Oui. Est-ce que j'en aurai une moi aussi quand j'aurai seize ans?

— Sarah, tu dois savoir que Samantha a été empoisonnée. Aussi je ne veux pas que tu manges quoi que ce soit sans m'en parler d'abord.

— Mais quand j'aurai seize ans, est-ce que ça me fera comme à Samantha?

— Non. L'âge des chats est différent de celui des gens. Pour un chat, seize ans, c'est comme quatre-vingts ans pour un être humain.

— Alors tu n'auras pas d'attaque avant longtemps encore!

Il l'entoura de ses bras, la serra contre lui, l'embrassant dans le cou.

— Tu as raison, mon amour. Seigneur! J'espère bien vivre encore très longtemps avec vous.

Elle resta agenouillée sans réagir tandis qu'il lui couvrait la tête de baisers.

— Papa?

— Oui.

— Est-ce qu'Ethan est au ciel avec Samantha?

Maintenant, il commençait à comprendre.

— Sarah, laisse-moi te demander quelque chose...

Elle ne répondit pas.

— Es-tu vraiment malade ou as-tu simplement besoin de quelqu'un à qui parler? Tu te sens seule, n'est-ce pas? Tu ne comprends pas ce qui se passe, alors tu t'inquiètes?

Elle hocha lentement la tête.

— Tu aurais dû me le dire tout de suite. Je ne me serais pas fâché, tu sais. Tandis que, t'ayant crue malade, je me faisais du souci.

Elle continua de garder le silence.

— Ecoute, ne t'inquiète pas. Tout va aller bien, tu verras. Ecoute... J'ai quelque chose à faire mais d'abord je vais te ramener dans la chambre, te border à côté de maman, et je resterai un moment avec toi. D'accord?

Ce qu'il voulait, c'était donner un coup de fil à Webster pour lui parler de l'homme du téléphone. Peut-être que Webster ferait perquisitionner dans les maisons du voisinage. Enfin, il ferait quelque chose, sûrement. Mais il fallait que Reuben attende, qu'il laisse au policier le temps de regagner le commissariat. Peut-être même que Webster n'allait pas rentrer directement au commissariat. Tant pis, il ne pouvait plus attendre.

Il se remit debout, les genoux douloureux, les articulations ankylosées. Il dut tirer doucement Sarah par la main pour qu'elle le suive. Ils traversèrent le couloir et montèrent dans la chambre. Claire était étendue sous la couverture bleu pâle, couchée sur le côté, et dormant si profondément que, à la faible clarté filtrant entre les rideaux, elle donnait à première vue l'impression de ne pas respirer. Reuben attendit impatiemment que Sarah se fût glissée sous la couverture; alors qu'il se penchait pour l'embrasser, ayant finalement décidé de ne pas rester avec elle mais d'aller tout de suite appeler Webster, le téléphone se mit à sonner sur la table de nuit.

9

Cette sonnerie le paralysa.

— Papa, qu'est-ce qu'il y a?

Il fixait le téléphone qui sonnait une seconde fois.

— Papa, pourquoi tu réponds pas?

Cette voix râpeuse.

Troisième sonnerie. Mais c'était peut-être Webster, rentré au commissariat, et qui téléphonait pour lui dire quelque chose...

Ou peut-être pas.

Mais peut-être bien. Reuben prit le risque et saisit le combiné. La voix le glaça.

— Hé, enculé, ça t'avancera à rien d'appeler les cognes. On vous aura tous, jusqu'au dernier. Penses-y... Tâche de deviner qui sera le prochain... Ta gosse? Ta femme? Toi? Les paris sont ouverts!

— Papa, qu'est-ce qui se passe? Tu fais une drôle de tête!

Il sentait la peau de son visage tendue à craquer. De la glace coulait dans ses veines. Il ne put empêcher sa voix de trembler :

— Attendez! Ne raccrochez pas! Il faut que nous parlions! Je vous en supplie, arrêtez! Arrêtez-vous!

— Nous arrêter? grinça la voix. Oh! ça me déçoit de t'entendre dire des trucs pareils. Tu passes pourtant pour être un mec à la redresse, un type qui écrit des bouquins et tout, non? Pas question que nous nous arrêtions! T'as pas pigé qu'on venait seulement de commencer?

— Non, écoutez-moi! Dites-moi ce que vous voulez. Je vous en prie! Je ferai n'importe quoi! Vous n'avez qu'à me dire... Est-ce de l'argent que vous voulez? Vous arrêterez si je vous donne de l'argent? Je vous en prie, dites-le-moi! Que dois-je faire?

— Mon pote, t'en as déjà fait plus qu'assez. Mais y a quand même quelque chose qui nous arrangerait.

— Quoi donc? Dites!

— La prochaine fois, réponds plus vite au téléphone. J'aime pas attendre.

Clic. Le bourdonnement de la tonalité.

— Qui c'était, papa?

— Je ne sais pas, ma chérie, parvint-il à répondre.

— Pourquoi lui parlais-tu comme ça?

Elle s'était assise sur le lit et le regardait d'un air inquiet.

Lentement, d'une main tremblante, il reposa le combiné sur la fourche du téléphone.

— Dis, pourquoi que tu lui parlais comme ça? insista Sarah.

Il regarda Claire endormie. Ses longs cheveux noirs lui couvraient un côté du visage. Puis il regarda de nouveau les cheveux courts et blonds de Sarah. Les yeux bruns de Claire, son visage hâlé. Les yeux bleus de Sarah, sa peau claire et ses taches de rousseur. Elles se ressemblaient si peu que quelqu'un ne les connaissant pas n'eût jamais pensé qu'elles étaient mère et fille.

Lorsqu'il avait failli partir avec l'autre femme, il lui était arrivé, certaines nuits, de songer combien sa vie eût été simplifiée si Claire et Sarah se faisaient tuer dans un accident. Il s'était maudit d'avoir eu ces pensées, sachant bien quelle douleur serait la sienne si jamais elles mouraient. Toutefois, il n'aurait pas été responsable de leur mort et se serait retrouvé libre de refaire sa vie. A présent, il se disait que, si elles mouraient, il ne saurait plus comment continuer à vivre.

— Reste au lit, dit-il à Sarah. Tu m'entends? J'ai besoin d'aller téléphoner en bas et je ne veux pas que tu bouges d'ici.

10

La secrétaire dit : « Chemelec... Bonjour... »

— Je veux transmettre un message à Kess.

Il était dix heures. A Providence, il était donc midi. Il avait craint que la secrétaire fût déjà partie déjeuner.

Elle mit de la prudence dans sa réponse :

— Je suis désolée... M. Kess ne fait plus partie de la maison.

— Il a pris le maquis, mais vous savez comment le joindre.

Dans sa main, le combiné du téléphone était moite et chaud.

— Non, monsieur, absolument pas. Je ne comprends pas ce que vous voulez dire.

— Mais vous vous souvenez sûrement de moi. Nous avons beaucoup parlé ensemble voici huit, neuf mois. Alors, dites à Kess que Reuben Bourne a téléphoné pour lui faire savoir qu'il était assez puni comme ça. J'ai commis une faute, dites-lui que j'en suis conscient, mais que maintenant mon bébé est mort et que c'est assez... J'ai peur. Je le supplie, je l'implore! Je vous en prie, dites-lui de nous laisser en paix à présent.

— Je suis vraiment désolée, monsieur. Je n'ai aucune idée de ce que vous voulez dire et il n'y a rien que je...

— Non, s'il vous plaît! Ne raccrochez pas!

— Au revoir, monsieur. Merci d'avoir appelé Chemelec.

— *Non, attendez!*

Le déclic, de nouveau, et, cette fois, les grésillements de la ligne interurbaine. La conversation n'avait pas duré plus de trente secondes. Il avait désespérément souhaité que cette communication les sauvât tous, et il n'avait même pas eu la possibilité de s'expliquer. C'était fini.

Cette constatation lui donna envie de vomir. Mais à quoi

t'attendais-tu? Croyais-tu vraiment qu'il te suffirait de téléphoner et de demander grâce?

Dieu sait que faire grâce n'était pas du tout le genre de Kess.

11

— La raison pour laquelle je ne puis perquisitionner dans toutes les maisons de la rue est évidente, dit Webster. Au nom de la Constitution, le juge me demanderait aussitôt ce que je recherche au juste! Et que pourrais-je lui dire? Que je suis en quête d'un homme parlant d'une voix râpeuse, dont il vous est apparu d'emblée qu'il déguisait sa voix?

Ils étaient dans le living-room. Bourne s'était laissé tomber dans un fauteuil tandis que, assis sur le sofa, Webster poursuivait ses explications :

— Et même si le juge était assez fou pour me signer un mandat de perquisition, ces recherches demanderaient trop de temps pour donner un résultat. D'autant que celui qui vous a téléphoné est sans doute déjà loin. Et ce que l'une ou l'autre de ces maisons pouvait recéler d'illégal, comme des armes ou du poison, aura aussi disparu avec lui. D'ailleurs il ne vous a pas nécessairement appelé d'une maison. D'après moi, il vous a téléphoné d'une voiture. S'il était au courant de la mort du bébé, c'est qu'il devait circuler dans le quartier, ce qui lui a permis de tout voir : d'abord le bébé mort embarqué dans l'ambulance, puis Ford et moi qui avons quitté la maison peu après.

Il écoutait, désespéré. Webster lui tendit une seconde cigarette qu'il alluma aussitôt. Cela faisait trois semaines qu'il avait pris la décision de cesser de fumer, mais quelle importance désormais? Aussi aspira-t-il la fumée à pleins poumons, en attendant de voir les choses un peu plus clairement.

Webster reprit :

— Quant au fait que vous ayez eu l'intention de me téléphoner et qu'il vous ait appelé au même moment en vous disant de ne pas vous donner cette peine, ça n'a rien de tellement extraordinaire. Il se doutait bien que vous voudriez prendre contact avec moi après son premier coup de téléphone; il a donc simplement calculé le moment où vous penseriez que j'avais eu le temps de regagner le commissariat et c'est alors qu'il vous a appelé pour vous dire de ne pas le faire. En agissant ainsi, il vous faisait croire qu'il lisait dans vos pensées.

— Enfin, de mon côté, je sais dans quelle direction orienter mes recherches...

— Ecoutez-moi. J'aurais pu vous expliquer tout ça par téléphone, quand vous m'avez appelé. Mais je voulais vous avoir en face de moi pour vous dire ceci : rechercher cet homme n'est pas votre affaire, mais la mienne. Tout ce dont vous avez à faire, c'est de garder votre sang-froid.

— Facile à dire... Vous voyez dans quel état je suis! Mais, à supposer que je réussisse à garder mon sang-froid, cela ne les empêchera pas de venir nous tuer.

— *Les*? souligna Webster. Nous ignorons s'ils sont plus d'un.

— Ils doivent être entre huit et douze. C'est leur façon d'opérer : ils se forment en commandos et agissent toujours ensemble.

— J'ai demandé au FBI la liste des militants de Kess dans la région.

— Ça ne vous avancera à rien. Kess n'a établi aucune liste de ses militants. Ses ordres sont répercutés de bouche à oreille, tout au long de la filière. Il se peut que le FBI connaisse certains de ses hommes qui habitent la région, mais il n'y a aucun moyen de prouver qu'ils sont membres de l'organisation.

— Sans doute êtes-vous mieux placé que moi pour le

savoir. En tout cas, pour ce qui est de Kess, vous aviez raison. En février, lorsqu'il a été inculpé par la Chambre d'accusation, il est entré dans la clandestinité. Le bruit court qu'il serait à la Jamaïque. Selon d'autres rumeurs, il se trouverait à Hawaï.

— Ou bien ici même, pourquoi pas?

Webster le regarda droit dans les yeux :

— Encore une fois, gardez le contrôle de vos nerfs. Il y a quantité de choses que je peux faire pour vous protéger. Un homme sera ici d'un instant à l'autre, pour brancher un magnétophone sur votre ligne téléphonique. Si votre type rappelle, nous aurons peut-être une chance de le localiser. J'ai envoyé Ford à la laiterie où vous prenez votre lait. Il est en train de rechercher qui vous l'a livré. J'attends également un rapport sur le type de poison qui a été utilisé et, avec un peu de chance, nous devrions arriver aussi à établir sa provenance.

— Ils se le sont procuré chez un pépiniériste.

Webster n'appréciait pas qu'on veuille lui apprendre son métier :

— Oui, *je sais,* monsieur Bourne. Je m'occuperai personnellement de cette question.

Le policier reprit, d'un ton gêné :

— J'avais une autre raison de revenir ici. Le rapport du médecin que j'ai trouvé sur mon bureau en rentrant au commissariat... Je m'excuse. Ce n'est pas souvent que je me laisse aller de la sorte. Le corps du bébé ne portait aucune trace d'ecchymoses.

— Evidemment.

C'en était presque *comique.*

12

— Pour Kess, racontez-moi.

Bourne tira de la cigarette une ultime bouffée qui en brûla presque le filtre, puis l'écrasa dans un cendrier.

— Bon, soit... Lorsque le garde m'a introduit dans le bureau de Kess, la première chose que j'ai vue a été le revolver Magnum posé sur des feuilles en guise de presse-papiers. Il y avait aussi une poignée de cartouches éparpillées sur son buvard et un cendrier fait dans une douille d'obus de mortier.

— Vous vous y connaissez en armes? Etes-vous sûr que ce revolver était bien un Magnum?

— Je me documente beaucoup pour faire mes livres, et je suis capable de reconnaître n'importe où un revolver de ce type. C'est le plus gros calibre. Un 44. La première chose que Kess m'ait dite, après avoir contourné son bureau pour venir me serrer la main en souriant, c'est combien il regrettait de m'avoir fait attendre si longtemps avant de m'accorder une interview.

— Mais s'il ne voulait plus recevoir de journalistes, pourquoi a-t-il changé d'avis et accepté de vous voir?

— C'était, je pense, parce qu'il était sûr d'être inculpé et qu'il se préparait déjà à prendre le maquis. Cette interview devait donc être sa dernière déclaration publique et il voyait en moi l'homme capable de le présenter sous le meilleur jour. A cause de mes livres.

— S'il les a lus, c'est un avantage qu'il a sur moi.

Bourne comprit alors que Webster cherchait à le faire parler le plus possible, pour l'amener à se détendre. Et ça marchait. Son estomac était toujours aussi noué, ses bras et ses jambes toujours glacés mais néanmoins il se sentait mieux. Parce qu'il n'était plus seul.

— Ils traitent de la peur, explique-t-il en allumant une cinquième cigarette qu'il prit dans le paquet de Webster, ce qui lui fit dire : Vous feriez bien d'en prendre avant que je ne vous les fume toutes.

— Je ne fume pas.

— Alors pourquoi ces cigarettes?

— J'en ai toujours un paquet sur moi pour les gens avec qui je parle.

Bourne ne put s'empêcher de sourire. Oui, décidément, la tactique était bonne et avait de l'effet. Il inhala la fumée, la garda un moment en lui. Quand il relâcha son souffle, très peu de fumée sortit de ses lèvres. Il éprouvait le besoin de se racler la gorge, sa bouche était sèche.

— Des poursuites, enchaîna-t-il. Des hommes seuls, pourchassés, traqués, n'ayant plus à compter que sur eux-mêmes pour sauver leur peau. Kess se reconnaissait dans mes personnages. Ce qu'il eût souhaité, c'était pouvoir remonter quelque trente mille ans en arrière et se trouver dans une forêt sauvage. C'était son rêve. Il se voyait très bien se repliant dans les bois avec ses hommes dès que l'ennemi envahirait le territoire et, de là, effectuant des raids contre des dépôts de munitions, des patrouilles, échappant à toutes les recherches. C'est ça le comique de l'histoire : parce qu'il se reconnaissait dans mes livres, il s'imaginait que je sympathiserais avec lui. Il m'a donc accordé une interview et, à présent, je me trouve dans la peau d'un de mes propres héros. A cette différence près qu'ils sont les chasseurs, alors que moi je suis le gibier!

— Il y a une autre différence : vous n'êtes pas seul. Un homme à moi va venir brancher votre ligne sur un magnétophone. Il restera ici pour vous protéger si nécessaire. J'ai des voitures de police qui circulent dans le secteur, et j'aurai sous peu une voiture-radio garée devant la maison. Ne vous faites aucun souci : nous les aurons avant qu'ils ne vous aient.

Bourne en fut presque convaincu. Là-dessus Webster se leva en lui disant « Gardez les cigarettes » et se prépara à partir; du coup, tout le soulagement que Bourne commençait à éprouver disparut aussitôt.

— Attendez encore un peu...

Bourne avait parlé comme un enfant qui craint de rester seul. Il avait conscience de sa peur sans pouvoir s'en défendre.

— Avez-vous une arme dans cette maison? lui demanda Webster.

— Trois. Une carabine, un pistolet et un revolver. Tous des calibres 22.

— Vous savez vous en servir?

— Oui, ma femme et moi avons pris des leçons de tir. C'est un ancien *Marine* que nous avions comme instructeur.

— Eh bien, n'y touchez pas.

Webster avait dit cela gentiment, mais ça n'en fit pas moins à Reuben l'effet d'une gifle.

— Vous comprenez, nous ne sommes plus dans les livres, mais en pleine réalité. Je n'ai pas envie que vous descendiez par erreur un de mes hommes ou un type qui ne serait pour rien dans l'histoire. Vous avez fait l'armée?

— Non.

— Pourquoi?

— J'ai été exempté à cause de mes études.

— Ça n'arrange pas les choses. Parce que si vous vous mettez en tête de faire la guerre à ces types, vous vous rendrez compte que tirer sur un type, dans un livre, est mille fois plus facile que d'en viser un, dans la vie, et d'appuyer sur la gâchette. De toute façon, avec vos calibres 22, vous ne risquez pas de faire beaucoup de mal à ceux qui en ont après vous.

Il avait déjà entendu ça et il avait même écrit à ce sujet, ayant eu l'occasion de vérifier la chose *de visu* lorsque Kess lui avait fait visiter ses sections d'entraînement, à Chemelec.

« Dans le stand de tir, vous avez prouvé que vous étiez capables de faire mouche, dit l'instructeur aux militants.

Mais vous allez découvrir que dans la réalité ça n'est pas du tout la même chose. D'abord, une cible vivante peut riposter. Ensuite, votre adversaire n'aura pas l'obligeance de se tenir debout, à découvert, en attendant que vous lui tiriez dessus. Quand vous partirez en manœuvres, la semaine prochaine, nous nous livrerons à des simulations de combats et nous vous entraînerons à tirer sur des cibles cachées. En attendant, révisez votre manuel de tir, les problèmes qui se posent et comment ils peuvent être résolus. Notez d'ores et déjà ceci : lorsque vous visez une cible qui escalade une colline, vous aurez tendance à viser trop bas. Rappelez-vous que votre adversaire prend de l'altitude, donc qu'il s'élève constamment au-dessus de votre ligne de tir et qu'il vous faut régler votre mire en conséquence. Si vous voulez le toucher entre les omoplates, visez la nuque. »

Webster s'apprêtait à partir.

— S'il vous plaît, voulez-vous attendre encore un peu? demanda Bourne d'une voix sèche.

— Attendre quoi?

— L'homme qui va venir brancher un magnétophone sur ma ligne. Peut-être que je deviens un tantinet paranoïaque mais... comment saurais-je si c'est vraiment un de vos hommes? Attendez qu'il arrive, voulez-vous? Pour que je sois tranquille?

C'est alors que le téléphone sonna.

Bourne sursauta. Son sang se glaça dans ses veines. Quand il regarda en direction du vestibule, il vit Webster qui décrochait le téléphone.

— Allô, dit le policier d'un ton neutre.

Après cela il ne dit plus rien, se contentant d'écouter. Bourne le rejoignit, scrutant son visage impassible.

— Que disent-ils?

Webster continua d'écouter. Puis il déglutit et reposa doucement le combiné sur la fourche de l'appareil.

— Qu'est-ce que c'était?

Silence.

— Rien.

— Mais ils vous ont bien dit quelque chose!

— Non. Rien. J'ai seulement entendu une respiration.

— Vous mentez! J'ai regardé votre visage. A un moment, malgré votre impassibilité, vos yeux ont changé d'expression.

— Tout ce que j'ai entendu, c'est quelqu'un qui respirait contre l'appareil.

— C'est de ma vie et de ma famille qu'il s'agit! Vous n'avez pas le droit de me cacher quelque chose! Dites-moi ce qui vous inquiète.

De nouveau, un silence.

— Je ne suis pas sûr... C'est pour cela que je suis resté si longtemps à écouter. Comme je vous l'ai dit, je n'ai entendu qu'un bruit de respiration... Une respiration calme, tranquille. Je n'ai toujours aucune certitude mais... on aurait dit que c'était une femme.

13

Le docteur s'était trompé : Claire ne se réveilla pas à six heures comme il l'avait annoncé. Bourne approcha une chaise du lit, s'y assit et demeura un long moment à considérer sa femme à la faible clarté filtrant entre les rideaux. Elle respirait, mais c'était tout; sept heures : elle dormait toujours. Dehors, le jour pâlissait; Bourne se dit que si elle ne se réveillait pas à sept heures et demie, il téléphonerait au docteur.

Sarah apparut dans l'encadrement de la porte :

— Papa, j'ai faim.

Depuis deux heures, elle était dans sa chambre, inoccupée. Tout à l'heure, elle lui avait demandé de jouer avec elle. Mais il n'avait pas le cœur à jouer. Il la revoyait, assise sur le lit, regardant le plancher. Il ne se doutait pas qu'une petite fille comme elle pût avoir tant de patience.

— Je crois que, moi aussi, j'ai un peu faim. Mais je ne peux pas descendre nous préparer quelque chose, au cas où maman se réveillerait pendant que je serai en bas.

Si elle se réveille, pensa-t-il. Oui, bien sûr qu'elle se réveillera.

Mais, de toute façon, que peux-tu préparer pour le repas? A quoi peux-tu te fier dans cette maison? Des conserves, oui, peut-être. Il se rappela une boîte de soupe qu'il avait vue — pois cassés au jambon — et il en eut une aigreur dans la bouche.

— Je peux le faire, moi, rétorqua Sarah.

— Je ne demanderais pas mieux, ma chérie. Mais je préfère que tu ne t'éloignes pas de moi.

— Pourquoi?

Elle était toujours sur le seuil de la chambre, sa tête arrivant juste à la hauteur du commutateur électrique.

Autant lui dire la vérité.

— Sarah, ma chérie, il y a des choses difficiles à comprendre, mais il faut quand même me croire. Un homme est persuadé que ton papa lui a fait du mal, et maintenant des amis de cet homme essaient de me faire du mal à moi, à toi et à maman. Ils ont déjà fait du mal à Ethan et à Samantha.

— Ils les ont tués?

— Oui.

— Pourquoi?

— Je viens de te le dire.

— Non : pourquoi cet homme croit que tu lui as fait du mal?

— J'ai écrit sur lui des choses qui lui ont déplu.

— C'était nécessaire?

— Sur le moment, oui, j'ai cru que c'était nécessaire. Maintenant...

Maintenant tu n'en es plus aussi convaincu, mais tu aurais intérêt à l'être. Si ça risque de coûter d'autres vies en plus de celle d'Ethan, il vaudrait foutrement mieux que ça en vaille la peine!

Il n'en était pas sûr.

Claire bougea, respira plus fort et murmura : « Je veux mon bébé. » Puis elle se pétrifia de nouveau. Une seconde s'écoula avant qu'il prenne conscience de s'être lui-même pétrifié, tous ses nerfs douloureusement tendus.

Quand il tourna la tête, Sarah avait disparu.

L'instant d'après, elle revint lui dire, intriguée :

— Il y a un homme en bas, près du téléphone.

Le policier envoyé pour les protéger.

— Tu es descendue alors que je te l'avais interdit! remarqua-t-il avec une brusque colère.

Le visage de la fillette se décomposa :

— Juste un peu...

— Fais-moi le plaisir de retourner dans ta chambre et d'y rester.

Reuben regretta aussitôt de lui avoir parlé si durement. Le visage de Sarah se chiffonna. Il la sentait au bord des larmes. Il fut sur le point de lui demander pardon. Mais elle devait comprendre que c'était grave. Elle devait donc lui obéir. Aussi se força-t-il à dire :

— Tu m'as entendu? Va dans ta chambre.

Elle fit un pas en arrière, sans détacher les yeux de lui, puis s'en fut à regret.

La chambre sombrait dans l'obscurité. Reuben ne voyait plus rien. Il écouta Claire. Elle se retournait, soupirait, parlait tout haut. Il ne pouvait plus demeurer inactif. Eprouvant le besoin de faire quelque chose, il ouvrit les doubles rideaux et regarda dehors. Dans la rue, le réverbère n'était pas allumé. Ce fait l'inquiéta. C'était inhabituel. Dans une voiture garée en bas de la maison, quelqu'un enflamma une allumette. D'instinct, il s'écarta de la fenêtre. L'allumette s'éteignit. Il distingua un phare clignotant sur le toit de la voiture. Ce devait donc être une voiture de police.

Il ferma les rideaux. L'obscurité de la chambre se resserra autour de lui. Il alluma une petite lampe basse qui ne risquait pas d'être aperçue de l'extérieur. Il regarda le lit. Claire avait les yeux ouverts. Fixes. Inexpressifs. Mais ses yeux le voyaient.

— Reuben?

Ses lèvres étaient gonflées et très sèches, comme gercées. Elle les humecta avec sa langue.

— Reuben?

— Chhhut! fit-il. Prends le temps de te réveiller. Le docteur t'a donné un sédatif. Tu as dormi toute la journée.

— Le docteur? répéta-t-elle, hébétée, sans presque ouvrir les lèvres. (Elle porta les mains à son visage, les passa sur ses joues, puis sur ses seins.) Quel docteur? demanda-t-elle, éprouvant un vague besoin de savoir. Où est Ethan? Y avait-il assez de couches propres pour le changer?

Il regarda fixement le mur devant lui, au-delà de Claire.

— Oh! mon dieu, Jésus! Il est mort! murmura-t-elle.

Il ressentit le même choc que lorsqu'il avait vu Ethan s'étrangler, se raidir et mourir.

— Comment te sens-tu? demanda-t-il.

— Comment penses-tu que je puisse me sentir?

— Le docteur m'a dit de te donner un peu de soupe.

— Je ne veux rien.

— Le docteur avait aussi prévu que tu refuserais de t'alimenter, mais il m'a demandé de te faire prendre quand même quelque chose.

Elle garda le silence, les yeux au plafond. Ses mains posées sur la poitrine, elle ressemblait à une morte. Il resta un moment à la regarder, puis il se leva pour descendre lui préparer de la soupe. Il ne voulait pas s'éloigner d'elle, mais, dans un certain sens, il se sentait soulagé de sortir de cette chambre.

La voix de Claire l'immobilisa sur le seuil :

— Ne rapporte pas de lait!

La force de cette injonction le surprit. Il resta figé sur

place. Dans le couloir, il aperçut Sarah, toute grise et menue.

— Qu'y avait-il dedans? demanda Claire derrière lui.

Il n'osait pas se retourner vers elle :

— Du poison.

Sans cesser de regarder le plafond, Claire demanda :

— Par quel moyen?

— Tu veux savoir si le lait était empoisonné?

— Exactement.

— Kess ou des hommes à lui...

— A cause de l'article?

— Ça m'en a tout l'air.

Lentement elle tourna la tête vers lui.

— Tu as tué Ethan.

Dans le couloir, Sarah retint son souffle.

— Non, répondit-il calmement. C'est Kess ou des hommes à lui.

— Non, *tu* as tué Ethan.

Le médicament, pensa-t-il. Ces gélules la font délirer.

— Je t'en prie, Claire. Sarah entend tout. Elle est dans le couloir. Tu ne sais pas ce que tu dis.

— Je sais que tu n'avais pas à écrire ça! cria-t-elle. Tu savais ce qui risquait d'arriver en le publiant.

— Je n'ai rien écrit que Kess ne m'ait autorisé à publier.

— Mais pas de la façon dont il voulait que tu le fasses. Tu avais conclu un accord avec lui. Tu te rappelles?

Il n'osait pas soutenir son regard.

— Ne t'avait-il pas mis en garde? Ne t'avait-il pas averti que si tu écrivais ce qu'ont écrit les autres, en le présentant comme une sorte de fou, il te le ferait payer?

Il se sentit incapable de répondre.

— N'est-ce pas vrai?

— Mais il avait pris le maquis. Je le croyais loin. Qui aurait pu croire qu'il mettrait sa menace à exécution?

— Tu as tué mon bébé. Maintenant, c'est moi qui t'avertis : ne t'avise pas de t'endormir, sinon, Dieu m'est témoin, je profiterai de ton sommeil pour te tuer.

14

Il passa la nuit en bas, dans le living-room. Il essaya de lire, mais n'y parvint pas. Ecrire était hors de question. Il était obsédé par la pensée du téléphone, lequel sonna finalement à onze heures. La sonnerie le figea. Il resta un instant comme paralysé avant d'aller répondre, tremblant que Claire, réveillée par le bruit, ne décroche le téléphone avant lui. Cette voix râpeuse l'achèverait...

Le policier mit le magnétophone en route.

— Ce n'est peut-être rien. Sans doute votre mère qui vous appelle.

— Ma mère est morte depuis deux ans.

Il décrocha. C'était une amie de Claire. Malgré cela, il fut pris de tremblements.

— Claire ne se sent pas bien. Elle vous rappellera demain.

— Rien de grave, j'espère?

— Elle vous rappellera, répéta-t-il avant de raccrocher.

Malgré lui, il se demanda si c'était la même femme que Webster avait entendu respirer à l'autre bout du fil. Non, se dit-il, tu es fou! Cesse d'avoir de telles pensées. C'est la meilleure amie de Claire.

Mais il fut incapable de chasser cette idée de son esprit.

Le lendemain matin, Webster revint avec un autre homme, pour relayer celui du téléphone.

— Vous avez une mine affreuse.

Mais Webster, lui non plus, n'avait pas bonne mine. Le visage gris, les traits tirés, les yeux rougis, il donnait l'impression de ne pas s'être couché de la nuit. Il portait d'ailleurs le même costume que la veille, tout fripé.

— Glycol éthylénique, dit le policier. Ils ne se le sont pas procuré chez un pépiniériste, mais dans un garage. Ça entre dans la composition de certains produits antigel ou pour nettoyer les pare-brise. Il suffit d'une goutte ou deux pour que ça vous tue. Ç'a un goût douceâtre. L'ennui est que tellement de gens achètent ces produits qu'on ne peut guère espérer remonter la filière.

— Vous êtes venu jusqu'ici et de si bonne heure simplement pour me dire que vous n'êtes pas en mesure de pouvoir retrouver celui qui a acheté le poison?

— Accordez-moi, au moins, que je suis franc avec vous. Si je commence par vous annoncer les mauvaises nouvelles, vous pourrez me croire quand je vous en donnerai de bonnes.

— Alors donnez-m'en vite une, pour l'amour du ciel!

— Pour l'instant, je n'en ai pas. Vous aviez raison : le FBI n'a pu m'être d'un grand secours. Le livreur de lait semble au-dessus de tout soupçon, mais nous le maintenons sous surveillance. Il a déposé le lait, devant votre porte, vers six heures, si bien que n'importe qui a largement eu le temps d'y verser du poison. Le docteur a terminé l'autopsie. Vous pouvez faire prendre le corps de votre fils par les pompes funèbres.

Il ne réalisa pas tout de suite ce que Webster voulait dire. Puis il comprit. Un enterrement. Il s'était si peu résigné à la mort d'Ethan qu'il n'avait même pas pensé à l'enterrement.

— Qu'y a-t-il? demanda le policier. Qu'avez-vous?

Reuben ne répondit pas. Après le départ de Webster, il téléphona à l'église.

— Je suis désolée, dit la gouvernante. Les prêtres sont en train de dire la messe. Le presbytère n'ouvre qu'à neuf heures.

Il attendit donc, en fumant les cigarettes du nouveau paquet que Webster lui avait donné avant de s'en aller. Elles avaient un goût de coton moisi et tiraient mal. Si un autre que Webster lui avait offert ce paquet, il n'y aurait pas touché. *Vous prenez quelques lamelles de ce plastique. Vous les glissez dans la cigarette de la personne que vous voulez supprimer. Elle en tire une bouffée, et elle meurt.*

Il avait mentionné cela dans son article, en ayant bien

soin de ne pas préciser le plastique dont il s'agissait. Mais quelle différence cela fait-il? pensa Reuben avec lassitude. Existe-t-il quelque chose dont on ne puisse se servir pour tuer?

Le prêtre lui dit avoir un « créneau » pour un enterrement, le surlendemain. Après quoi, Reuben chercha dans l'annuaire la rubrique *Pompes funèbres* mais n'y trouva rien qu'un renvoi : Voir *Funerariums*. Oui, bien sûr. C'est plus discret, ça fait moins triste! pensa-t-il rageusement. Son exaspération le poussait à prendre le premier nom de la liste pour en finir au plus vite. Mais il était toujours obsédé par l'idée que Kess avait des hommes partout, et que le premier nom de la liste était justement celui qui avait le plus de chances d'être choisi. Aussi préféra-t-il retenir l'avant-dernier. Il savait qu'il ne faudrait pas longtemps à Kess et à ses nervis pour savoir à quelle maison il s'était adressé, mais en agissant ainsi il ne facilitait pas les choses à ses ennemis.

— On a dû l'autopsier, dit-il à celui qui lui répondit. Je ne pense donc pas que mon fils soit en état d'être présenté dans un cercueil ouvert.

La voix était chaude et douce, comme celle d'un prêtre parlant à la télévision.

— Si c'est ce que vous souhaitez, monsieur, nous ferons de notre mieux pour arranger ça.

Reuben réfléchit un instant.

Oui. C'est certainement ce que voudrait ma femme. Je ne peux pas aller chez vous pour choisir le cercueil et le reste. Faites pour le mieux.

— Certainement, monsieur, répondit la voix, non sans trahir une légère surprise. Comme vous voudrez, monsieur.

— Je ne peux pas non plus aller à l'hôpital pour signer les papiers. Il faudra donc que vous passiez me les apporter ici avant d'aller chercher le corps.

La voix parut encore plus surprise :

— Euh... Oui, d'accord, monsieur. Puis-je me permettre

de vous dire que nous sommes de cœur avec vous, dans la cruelle épreuve que vous traversez?

— Mais oui, dites-le donc, si ça vous fait plaisir.

15

Une heure plus tard, un prêtre sonna à la porte. C'était un homme voûté, ridé, avec des cheveux blancs clairsemés, de la poussière ici et là sur son habit noir. Il se présenta comme le desservant de la paroisse, mais comme Reuben le voyait pour la première fois et qu'il n'avait jamais entendu Claire parler d'un ecclésiastique correspondant à son signalement, il appela le policier du téléphone qui se joignit à eux dans le living-room.

Le prêtre s'excusa d'être venu sans l'avertir de sa visite. Visiblement, il répugnait à aborder le motif de sa présence.

— Ce n'est qu'un petit détail, dit-il avec embarras, mais il faut absolument que nous en parlions, aussi odieux me soit-il de vous déranger dans votre chagrin.

Il parlait d'une voix étouffée.

— De quoi s'agit-il?

Reuben n'était pas du tout sûr d'avoir affaire à un prêtre. Il avait envie de téléphoner à l'église pour s'en assurer. Quant au policier, il tenait sa main tout près de son revolver qu'il portait suspendu dans un holster, sous son veston.

Le visiteur reprit à contrecœur :

— Je suis convaincu que vous accepterez de répondre à mes questions mais... vous comprenez, j'ai consulté nos registres et... Vous êtes catholique, n'est-ce pas, monsieur Bourne?

— Oui.

— Et votre famille également?

— Oui.

— Assistez-vous régulièrement à la messe?

— Ma femme et ma fille y vont tous les dimanches.

— Et vous-même?

— Cela fait dix ans que je n'y suis pas allé.

— Pas même pour accomplir votre devoir pascal?

— Non, pas même...

Le prêtre s'éclaircit la gorge :

— Puis-je vous demander pourquoi vous n'allez plus à la messe?

— Parce qu'on la dit en anglais, et puis qu'on y joue de la guitare.

— Nous sommes quelques-uns, aussi, à déplorer ces réformes, monsieur Bourne. Cependant, vous auriez dû honorer votre devoir pascal, afin de continuer à faire partie de l'Eglise et assurer le salut de votre âme. Vous ne croyez plus, n'est-ce pas?

— Oui, c'est ça, dit Reuben, avec le sentiment d'être dans un confessionnal.

— Vous ne croyez plus en l'Eglise?

— Ni en Dieu. Excusez-moi, mon père, mais que désirez-vous me dire au juste?

— Eh bien... Je comprends mieux, maintenant. En effet, après avoir consulté nos registres, j'ai téléphoné aux autres paroisses et nulle part je n'ai trouvé trace que votre fils ait été baptisé.

Dieu Tout-Puissant, vous avez envoyé Votre Fils unique pour nous sauver de l'esclavage du péché, et nous donner la liberté dont seuls peuvent jouir vos fils et vos filles. Nous prions maintenant pour cet enfant qui va devoir affronter le monde avec ses tentations et lutter contre la malice du démon. Votre Fils est mort et ressuscité pour nous sauver. Par Sa victoire sur le péché et sur la mort, arrachez cet enfant aux puissances des ténèbres, fortifiez-le dans la grâce du Christ et veillez sur lui à chaque pas qu'il fera dans sa vie ici-bas. Nous vous le demandons par Notre Seigneur Jésus-Christ. Amen.

A présent, il devinait ce qui allait suivre et quel effet cela aurait sur Claire. Il ne voyait pas comment le lui apprendre. Les principes, pensa-t-il. Toutes les choses que j'ai faites par principe!

— Non, en effet, dit-il posément, le bébé n'était pas baptisé.

Reuben était maintenant convaincu qu'il s'agissait bien d'un prêtre. Ni Kess ni ses hommes n'auraient pensé à ça.

— Y avait-il à cela une raison valable?

— Le bébé a été très malade durant les deux premiers mois après sa naissance. Nous n'avons pas osé courir le risque de le sortir.

— Mais sûrement que... quel âge m'avez-vous dit qu'il avait, lorsque vous m'avez téléphoné? Quatre mois? Cinq? Il devait donc être suffisamment rétabli pour que vous puissiez l'emmener à l'église...

— Je ne voulais pas qu'il soit baptisé, dit Bourne, car je n'étais pas certain de souhaiter qu'il soit élevé dans la religion catholique.

— Le baptême n'a pas de religion préférée. Il confère à quiconque, quelle que soit sa future religion, la possibilité d'être sauvé par le Christ.

— Si on a la foi.

— Mais il ne vous appartenait pas de décider par avance si votre fils aurait ou non la foi. Etes-vous absolument certain que personne ne l'avait baptisé? Une infirmière à la maternité, peut-être? Ou bien votre femme lorsqu'il a été malade? Il n'y a plus besoin d'un prêtre. N'importe qui peut baptiser, et avec de l'eau ordinaire.

Je te baptise au nom du Père, et du Fils, et du Saint-Esprit.

— Non, je suis certain que personne ne l'a baptisé.

— Ça m'est vraiment très difficile...

— Allez-y. De toute façon, je sais ce que vous allez dire.

Le prêtre trouva refuge dans l'énoncé de paroles toutes faites :

— Le droit canon interdit que votre fils soit béni par l'Eglise et inhumé en terre chrétienne. Etant donné que l'enfant n'avait pas atteint l'âge de raison, il ne pouvait avoir commis de péché et, en conséquence, il n'est point passible de la damnation de l'enfer. Il reposera dans les limbes, préservé du supplice du feu éternel, mais il sera privé à jamais de l'ineffable joie de contempler Dieu dans Sa gloire.

16

C'est ainsi que, ce soir-là, ils se rendirent au funerarium, escortés des deux policiers. Reuben avait fini par tout dire à Claire, s'attendant à ce qu'elle se déchaîne de nouveau contre lui. Mais elle n'avait absolument pas réagi. C'était comme si elle s'était retranchée tout au fond de sa tête, n'ayant plus conscience de rien. Un des policiers monta avec eux dans leur voiture, tandis que l'autre suivait derrière, dans une seconde voiture, à quelque distance, pour s'assurer qu'ils n'étaient pas suivis. Arrivés à destination, les deux policiers descendirent les premiers, observèrent attentivement la rue bordée d'arbres avant de leur donner le feu vert.

A l'intérieur du funerarium, ce n'était que moquettes épaisses et voix étouffées. Les murs étaient recouverts de beaux drapés de rideaux rouges. Un orgue électrique jouait en sourdine, sans jamais s'arrêter.

Reuben aurait préféré ne pas emmener Sarah, mais il eût été trop inquiet s'il l'avait laissée à la maison, même en compagnie du policier qui continuait d'en assurer la garde. Il avait emporté quelques livres pour l'occuper. En chemin, il s'était arrêté pour lui acheter du lait et des biscuits dans un supermarché pris au hasard, afin d'être bien sûr qu'elle ne coure aucun risque à les manger. Il demanda à l'un des employés un endroit à l'écart où Sarah puisse les attendre.

— Mais je veux voir Ethan. Pourquoi est-ce que je ne peux pas voir Ethan?

— Parce qu'il ne sera plus comme tu l'as connu.

L'orgue électrique jouait inlassablement.

— Il ne sera plus le même?

— Si, mais il te paraîtra changé.

Elle pesa la chose dans sa tête et demanda :

— Il aura l'air d'une poupée?

L'image évoquée par ces mots fit à Reuben une horrible impression.

— Est-ce que cette idée te fait peur?

— Non... Je ne crois pas, dit Sarah.

— Eh bien, oui, c'est l'air qu'il aura.

Elle continuait à ruminer cette pensée quand l'employé vint la chercher. Un des policiers la suivit aussitôt, marchant sans bruit sur l'épaisse moquette. L'autre inspecta les pièces donnant sur le hall, tout en regardant sans cesse du côté de la porte d'entrée.

Le maître de cérémonie fit son apparition. Il survint sans bruit, ses pieds semblant à peine toucher le sol. Il avait un costume de drap noir très fin, parfaitement coupé. Il était grand avec un visage maigre, des tempes argentées, et une expression de sympathie attristée. Comme tout à l'heure pour le prêtre, Reuben se demanda si c'était ou non un homme de Kess.

Le maître de cérémonie regarda le policier qui surveillait la porte d'entrée, puis son regard revint sur Bourne, à qui il tendit la main :

— Monsieur Bourne, nous vous présentons toutes nos condoléances.

Sa main était sèche et douce.

— Votre fils est par ici. J'espère que la façon dont nous avons tout arrangé recueillera votre approbation.

Ils suivirent un couloir, passèrent devant une chambre funéraire au fond de laquelle était exposé un cercueil d'où émergeait le visage d'un jeune homme. Devant ce cercueil, une femme en deuil était agenouillée, ses épaules secouées de sanglots. Debout, à côté d'elle, une autre femme esquissa un geste des deux mains, puis les laissa retomber, ne sachant pas quoi faire pour réconforter sa compagne.

Ils entrèrent silencieusement dans la chambre suivante où Ethan reposait dans son cercueil. Reuben se sentit envahi par un froid soudain. Le policier se posta à l'entrée de la chambre, d'où il pouvait continuer à surveiller la porte du funerarium. Le cercueil était en beau chêne marron — comme notre maison pensa Reuben — et si petit qu'il avait l'air d'un jouet. Ethan y était étendu sur du satin blanc, sa tête coiffée d'un burnous bleu. Claire avait mis des heures à le choisir, dans les tiroirs de la commode, avant de le donner à l'employé des pompes funèbres.

Reuben s'était trompé en confirmant à Sarah que le bébé ressemblerait à une poupée. Ethan n'avait pas l'air d'une poupée. Il avait l'air mort, tout simplement. Comme le visage d'Ethan était lisse, le fond de teint dont on avait maquillé ses traits avait déposé sur sa peau une couche de cire transparente. Reuben ferma les yeux, les rouvrit, les ferma de nouveau et, peu à peu, essaya de s'habituer à l'apparence de cet inconnu qui, naguère, avait été son fils.

Claire, elle, regardait fixement le petit corps. Sous son voile noir, elle semblait plus vieille, avec ses longs cheveux sévèrement noués en chignon, son visage dépourvu de fard. Pleure! lui cria-t-il intérieurement. Pourquoi ne pleurait-elle pas, pour libérer sa douleur?

Et toi-même? C'est ton fils, non? Pourquoi ne pleures-tu pas?

La raquette d'œillets blancs qu'il avait commandée.

L'odeur douceâtre des fleurs qui se fanent. La mort. Partout la mort.

L'orgue ne s'arrêterait pas de jouer.

Reuben revint à lui. Le maître de cérémonie était toujours là. Qu'attend-il? Des félicitations? pensa-t-il. Il ne veut quand même pas que je le complimente sur la façon dont il a maquillé Ethan!

— Est-ce que tout est comme vous le souhaitiez?

— Le cercueil est très beau.

— C'est ce que nous avons de mieux. Vous n'aurez rien à vous reprocher : vous avez fait pour lui tout ce que vous pouviez.

Les draperies, la musique, la moquette absorbaient ses paroles, si bien qu'il donnait l'impression de parler dans le vide.

— Votre femme et vous prendrez un peu de café?

Pensant au poison, Reuben répondit :

— Non.

— Alors du vin peut-être? Ou quelque chose de plus fort. Nous avons constaté que c'est parfois d'un grand secours...

— Non. Non, merci.

— S'il y a quoi que ce soit que vous désiriez, n'hésitez pas à nous le demander.

Visiblement contrarié, l'homme des cérémonies se retira lentement, avec une discrétion infinie.

Du moins, jusqu'à la porte où il buta contre un homme haletant, au visage congestionné, la cravate dénouée. Bourne avait eu à peine le temps de sursauter que le policier s'était déjà jeté sur l'intrus, le plaquant contre le mur.

— Mon dieu! balbutia le maître de cérémonie. Mon dieu, qu'est-ce donc?

Il demeura bouche bée en voyant que le policier avait sorti son revolver et le braquait sur l'homme. Celui-ci, encore plus congestionné, bredouilla : « Mais que diable... Hé! doucement, je... » tandis que l'autre policier, en quête d'une arme cachée, le palpait partout, sous les aisselles, entre les jambes, le long du pantalon. Cela s'était passé si vite que Bourne n'avait pas eu le temps de réaliser ce qui venait d'arriver.

— Qu'est-ce que vous voulez? demanda-t-il à l'intrus.

— Mon ami.

— Quel ami?

— Il est mort. Je suis venu voir mon ami. Y a un train qui l'a écrasé, et maintenant il est mort.

— Oh! fit le maître de cérémonie. C'est dans la pièce suivante.

— Et maintenant il est mort, répéta l'homme.

Le policier respira son haleine et détourna la tête :

— Allons ensemble voir votre ami. Et, tant que nous y sommes, nous verrons aussi à quel point vous êtes soûl.

— Non, dit Bourne, ne nous laissez pas!

— C'est l'affaire d'une seconde. Je tiens à vérifier ça.

— Et si on l'avait envoyé exprès pour détourner votre attention? Si en votre absence ils attaquaient?

— Je ne perdrai pas cette porte de vue un seul instant.

Reuben frissonnait, pris de panique. Les deux hommes quittèrent la pièce. Il se sentit au bord de la nausée. Claire avait tout regardé sans réagir. Elle reposa ses yeux sur Ethan. Quand le policier revint en haussant les épaules, Reuben se sentit toujours aussi mal. Il ne pouvait quand même pas aller s'asseoir quelque part en laissant Claire là, debout. Il attendit donc, luttant contre son envie de vomir. Dix minutes plus tard, Claire ouvrit la bouche pour la première fois de la journée, et dit, d'une voix aiguë mais calme, sans quitter des yeux le petit corps :

— Oh! Reuben, pourquoi? Tu ne peux pas savoir comme je voudrais que tu sois parti avec ta putain!

17

Le surlendemain matin, ce fut l'enterrement. Le prêtre avait dit qu'un certain nombre de prières pouvaient être récitées, mais sans mention de « salut » ni aspersion d'eau bénite.

L'emplacement de la tombe se trouvait à l'extrémité du cimetière, sous un grand marronnier. Il n'y avait aucune croix sur les tombes alentour. Ils avaient coulé une couche de ciment au fond du trou. Pour empêcher le cercueil de s'enfoncer lorsque le bois pourrit et que le corps se décompose, pensa Bourne. Quand ils auront descendu le cercueil, ils combleront le trou en posant dessus une plaque de ciment, sur quoi on versera de la terre, couverte d'une imitation d'herbe. Quand je mourrai, pensa-t-il, j'aime mieux être incinéré.

Il faisait un soleil éclatant et l'on respirait une chaude humidité. Le prêtre confia le corps au limon d'où il était sorti, ce que Bourne trouva plus poétique qu'exact, eu égard au ciment. Puis le maître de cérémonie, debout près de lui, annonça que c'était fini.

Mais Claire ne voulut pas bouger.

— Je resterai jusqu'à la fin.

C'était la seconde fois qu'elle parlait, depuis la veillée du corps au funerarium.

— Comme elle voudra, dit Reuben.

Il s'ensuivit une brève discussion entre le maître de cérémonie et les fossoyeurs. Juste comme ils descendaient le petit cercueil dans le trou, Sarah s'avança et déposa un bouquet de fleurs dessus. Bourne devina que l'idée n'était pas d'elle, qu'elle n'y aurait jamais pensé toute seule. C'était Claire qui lui avait dit de faire ça. Il regarda sa femme. A travers son voile, il vit qu'elle le regardait aussi. Alors il détourna les yeux. Le cercueil fut déposé dans la fosse et lorsqu'il ne vit plus ni le couvercle de chêne sombre, ni les œillets blancs, il quitta le cimetière.

18

Ce qui demanda le plus de temps fut que Claire le laissât de nouveau dormir avec elle dans le même lit. Elle lui adressait la parole, à présent, mais juste pour savoir quel pantalon elle devait lui repasser ou pour lui dire que le dîner était prêt. Chaque jour, ils changeaient de supermarché pour acheter leurs provisions. Ils ne se faisaient plus livrer leur lait à domicile. Ils conduisaient Sarah à l'école puis allaient l'y chercher, au lieu de la laisser rentrer seule à pied. Ils ne lui permettaient pas d'aller jouer dehors sans qu'ils fussent avec elle. Malgré la voiture de police garée en face de la maison toute auto qui ralentissait devant chez eux les paniquait.

Mais rien n'arrivait. Et plus il s'écoulait de jours sans que rien n'arrive, plus les Bourne avaient peur d'entendre de nouveau l'homme à la voix râpeuse, chaque fois que le téléphone sonnait. Ils vivaient dans l'angoisse de cette sonnerie. Reuben s'obligeait à travailler pour oublier, mais en vain : pour l'avoir décrite plusieurs fois, il connaissait trop bien la situation dans laquelle il se trouvait. Si quelqu'un tient absolument à vous tuer, il n'y a aucun moyen de l'en empêcher. Ce n'est qu'une question de temps.

Il monta à l'étage, ouvrit le placard du couloir et disposa sur la seconde étagère la carabine, le pistolet et le revolver, avec une pleine boîte de cartouches posée à côté d'eux. Webster l'avait mis en garde contre de telles idées, mais lui n'avait rien à craindre pour sa peau, de même que le policier ne comprenait pas que, à force d'écrire des thrillers, Reuben était devenu assez expert en matière d'armes.

La situation étant grave, il montra à Sarah où il avait entreposé ses armes, en lui faisant promettre de n'y toucher qu'en toute dernière extrémité.

Un matin, il descendit de bonne heure au rez-de-chaussée. Il n'y avait plus de policier près du téléphone. Le magnétophone, les écouteurs, les bobines, tout ce qui permettait d'enregistrer les communications avait disparu. Se précipitant vers la baie du living-room, il vit aussi que la voiture de police n'était plus là. Réalisant qu'il pouvait servir de cible, il s'écarta aussitôt de la fenêtre.

— Je comptais être ici avant que vous ne vous en aperceviez, lui dit Webster en arrivant. Comprenez que je n'y suis pour rien : c'est un ordre du patron lui-même. Rien que pour vous, nous devons mobiliser, vingt-quatre heures sur vingt-quatre, et à raison de trois relèves par jour un homme au téléphone, deux dans la voiture de faction et deux encore dans chacune des trois voitures de patrouille qui quadrillent le quartier. Multipliez ça par le nombre de semaines qui se sont écoulées depuis que nous sommes sur l'affaire, et imaginez un peu tout ce que nous coûte cette immobilisation d'effectifs qui, par ailleurs, nous font gravement défaut dans d'autres secteurs.

Bourne écumait. Il eut du mal à se contenir :

— Mais vous êtes la police, que diable! Si vous n'êtes pas là pour nous protéger, alors à quoi servez-vous?

— Je sais ce que vous devez penser, mais...

— Moi, je ne sais pas ce que je dois penser!

— Ecoutez-moi... Le raisonnement du patron se tient. Il dit que si Kess et ses hommes n'ont rien tenté contre vous à l'heure qu'il est, c'est que vous avez cessé de les intéresser ou bien qu'ils attendent notre départ pour agir; donc, il ne sert à rien que nous prenions racine chez vous. S'ils ont décidé d'attendre que nous partions, le patron dit que nous pourrons rester un an à faire le guet, sans être plus avancés pour autant.

— Evidemment, pourquoi ne pas hâter les choses en les laissant nous attaquer dès aujourd'hui? Votre patron serait-il un homme de Kess, par hasard?

— Monsieur Bourne, j'ai passé toute la nuit à discuter avec lui, et vous entendre tenir ce genre de propos me le ferait regretter. J'ai parlé aux gars qui montaient la garde dehors et ils sont d'accord pour passer de temps en temps, afin de donner l'impression que la surveillance continue. Vous avez mon numéro de téléphone, au commissariat et chez moi. S'il se produit quoi que ce soit, même si vous pensez que c'est peut-être l'effet de votre imagination, donnez-moi un coup de fil. Peu m'importe l'heure, même si c'est au milieu de la nuit. Mais, avec un peu de chance, vous n'aurez pas à le faire, car il est très possible que le patron soit dans le vrai. Peut-être se désintéressent-ils de vous, s'estimant assez vengés d'avoir tué votre fils...

— Il n'y a pas de peut-être. *Ils vont sûrement revenir.*

19

Sans même prendre le temps de refermer la portière de sa voiture, il s'élança vers l'entrée de l'école, au fronton de laquelle était gravé *WOODSIDE*. Claire courut derrière lui.

— Qu'est-ce que c'est? Qu'est-il arrivé? cria-t-il à la femme qui les attendait nerveusement sur le perron. Elle était toute pâle et aussi jeune que l'était le médecin. Trop jeune. Le professeur de Sarah. Petite, avec des cheveux châtains et une robe verte évasée : enceinte de cinq mois, pas plus.

— Dites-moi ce qu'il y a!

— Je... Elle...

Le bâtiment de brique et de verre avait un seul niveau, tout neuf, propre et net. Passant vivement devant la femme enceinte, il poussa l'étincelante porte battante. L'intérieur, dallé de marbre, sentait la térébenthine.

— De quel côté? lança-t-il d'une voix qui résonna dans le hall. Où l'avez-vous mise? Pour l'amour de Dieu, dites-moi où elle est!

— Par-là... au bout, répondit la femme en déglutissant avec peine.

A droite, un long couloir longeant des classes aux portes ouvertes, des lavabos bas pour être au niveau des enfants... Reuben ne se donna pas la peine de frapper à la porte du bureau du proviseur. Il l'ouvrit à toute volée. Sarah sanglotait au creux d'un fauteuil, enveloppée dans une couverture. Une infirmière en blanc se tenait près d'elle. Le proviseur se leva.

— Il y a eu erreur... Vous devez comprendre que nous n'avions aucun moyen de savoir...

Bourne le regarda une seconde : des lunettes aux verres épais, une cravate dénouée, les manches de chemise relevées au-dessus du coude. Il serra sa fille contre lui. Claire le rejoignit. Sarah n'arrêtait pas de pleurer.

— Ma chérie, dis-nous ce qu'il y a... As-tu mal?

Elle fit oui, puis non en secouant la tête. Reuben vit le sang sur le plancher.

— Jésus!

— Il vous faut comprendre... dit le proviseur.

— Mon dieu, Sarah, tu es blessée... Qui t'a fait ça? Où as-tu mal?

Comme il cherchait à défaire la couverture, l'infirmière s'interposa. Il la repoussa rageusement :

— Ne vous mêlez pas de ça!

— Je vous demande de comprendre... répéta le proviseur.

Bourne lui fit face. L'homme avait ses dessous de bras trempés de sueur. La pièce sentait le tabac. Une cigarette fumait dans un cendrier débordant de mégots.

— Allez-y, bon sang! Dites-moi ce que je dois comprendre!

Maintenant, Sarah pleurait à chaudes larmes.

— Je l'avais calmée, dit l'infirmière, et vous lui avez fait peur de nouveau!

— Si nous nous calmions tous un peu, je crois que cela

faciliterait les choses, intervint le proviseur en s'efforçant de sourire d'un air rassurant.

— De quoi a-t-elle eu peur?

— Du policeman, dit Sarah avant de se remettre à pleurer de plus belle.

— Quel policeman?

— Mon amour, essaie de nous raconter...

— Oh! maman, le policeman!

— Nous avons fait de notre mieux, reprit le proviseur. C'est ce qu'il vous faut comprendre. J'ignorais ce qui se passait, mais je savais que, depuis qu'elle était revenue à l'école, un agent en tenue la surveillait.

Il tira une longue bouffée de sa cigarette en plissant les yeux.

— Aujourd'hui, un autre agent a pris sa relève.

— Non!

— Il m'a dit qu'il devait poser quelques questions à la petite, à cause de quelque chose qui était arrivé et dont il fallait qu'il lui parle. Comment pouvais-je savoir qu'il mentait? Personne ne m'avait mis au courant de rien.

— Nous tenions à ce qu'elle continue de mener une sorte de vie normale.

— Comment ça?

— Ce n'était pas bon pour elle de la garder tout le temps à la maison. Nous voulions qu'elle voie d'autres enfants, qu'elle joue, qu'elle se change les idées. Si nous vous avions dit ce qui se passait, vous n'auriez pas voulu la prendre en charge, ou bien alors tout le monde aurait su et ses petites camarades l'auraient regardée comme une bête curieuse. Nous pensions que ce policeman suffirait pour assurer sa protection.

— Qu'est-ce que vous me racontez là?

— Rien, rien... Je vous écoute... Parlez-moi de ce policeman.

— Il est venu ce matin en me demandant de faire sortir votre fille de classe afin de lui parler.

Sous ses aisselles, les auréoles de transpiration s'élargissaient.

— J'ai fait ce qu'il me demandait. Vous me comprenez, n'est-ce pas? Et puis un des professeurs a entendu la petite qui hurlait dans le sous-sol. Elle saignait et criait...

— Où ça?

— Dans le sous-sol.

— Où saignait-elle?

Il avait déjà deviné. Sa gorge se noua. Toutefois, il voulut tout savoir pour y croire. Le proviseur lui expliqua comment Sarah avait été agressée et que c'était avec le canon de son revolver que cet agent en tenue...

Il crut ne plus pouvoir se retenir de vomir.

— Oh non... non... non... répéta-t-il.

20

Il la ramena à la maison, assise entre Claire et lui, sur la banquette avant. Elle ne saignait plus. A l'hôpital, les médecins ne le crurent pas lorsqu'il leur expliqua. Ils lui posèrent des points de suture là où le canon de l'arme l'avait déchirée. Ils la pansèrent à grand renfort de tampons hygiéniques qu'il faudrait changer, puis ils lui firent une piqûre pour calmer la douleur. Reuben se demanda si la seringue ne contenait pas du poison... Après, ils lui administrèrent une petite transfusion sanguine. Ils voulaient la garder en observation. Bourne s'y opposa avec véhémence : « Pas question! La prochaine fois, ça pourrait être un médecin au lieu d'un policier. Elle rentre à la maison avec moi. » Sarah était maintenant blottie entre eux, se cramponnant à la couverture qui l'enveloppait, le visage cendreux.

— Pourquoi, papa? Pourquoi il voulait me faire mal *là?*

Il ne savait trop quoi lui répondre :

— Ma chérie, lorsque maman est devenue grosse à cause d'Ethan, tu m'as demandé comment il était là, tu te rappelles?

Le souvenir d'Ethan le fit s'interrompre. Ethan pétrifié dans son cercueil au fond du trou. Il s'aperçut qu'il avait machinalement appuyé sur l'accélérateur et relâcha la pression de son pied.

— Tu te rappelles : tu m'as demandé si un bébé se mettait à pousser à l'intérieur d'une femme dès qu'elle atteint un certain âge, ou bien dès qu'elle se marie, et tu voulais savoir si c'était vrai?

Elle se serra davantage contre lui.

— Et je t'ai dit que non.

— Reuben, arrête.

— Elle m'a posé une question et j'entends y répondre, répliqua-t-il avant de se tourner de nouveau vers Sarah : je t'ai dit alors comment maman et moi nous y étions pris pour faire Ethan. Là, c'était très bien car ta mère voulait que je le fasse, et moi je le désirais aussi, nous étions donc très heureux tous les deux. C'est quelque chose de spécial que l'on fait seulement avec quelqu'un que l'on aime beaucoup, et si tout se passe bien, on a un beau bébé.

— Mais pourquoi il voulait me faire mal *là*?

Tout en négociant un virage, Reuben continua :

— Sarah, les gens ne seront pas toujours aussi gentils avec toi que nous le sommes, ta mère et moi. Il y a dans le monde des gens méchants. Ils prennent plaisir à nous faire du mal. Nous ne savons pas pourquoi ils sont heureux de nous faire du mal, mais c'est comme ça et nous devons donc être prêts à nous défendre.

— Reuben!

— J'ai dit que je répondrais à sa question. Voilà pourquoi, Sarah, nous t'avons dit de ne jamais accepter des bonbons d'une personne étrangère, de ne jamais monter en voiture avec quelqu'un que tu ne connais pas. Et c'est pourquoi je te dis maintenant de te méfier de tous les gens que tu rencontres. Il peut s'agir de bonnes personnes, mais elles peuvent aussi être méchantes, et il y en a beaucoup comme ça autour de nous, pas seulement celles qui ont tué Ethan. Ces gens-là prennent plaisir à faire du mal, à mentir, tromper, voler, salir des réputations et ils...

Ils arrivèrent en vue de leur maison. Lorsqu'il réalisa ce qui se passait, sa première réaction fut de freiner. Mais il se reprit aussitôt et gara sa voiture derrière les camions de pompiers. D'autres sirènes se rapprochaient. Les pompiers branchaient de gros tuyaux noirs sur la bouche à incendie, située en face de la maison, sur l'autre trottoir. Des gens attroupés les regardaient. Vêtus de longs imperméables noirs, les pompiers déversaient des torrents d'eau sur la maison et le garage.

Les flammes léchaient le toit du garage. Il se rua hors de la voiture dans un fracas de cris, de moteurs en marche et de sirènes hurlantes, humant l'odeur de la suie humide qui retombait sur lui en même temps que l'eau vaporisée des lances d'incendie. Il vit alors Webster, impassible, les mains dans les poches de son complet gris, appuyé sur le capot d'un camion de pompiers.

Apercevant Bourne, le policier vint lentement vers lui tout en regardant la fumée et les flammes.

— Ce n'est que le garage. D'après ce qu'on m'a dit, il y a de grandes chances que le feu ne se propage pas dans la maison.

Bourne fut incapable de répondre quoi que ce soit. Le vent tourna. La fumée lui brûla les narines, la gorge. Il observa un instant les flammes jaillissant du toit du garage au milieu de la fumée noire, puis regarda Claire qui, restée dans la voiture, serrait Sarah contre elle. Il parvint à dire :

— Comment ont-ils mis le feu?

— Je ne le sais pas encore. Je suis arrivé juste après les pompiers. C'est un de vos voisins qui leur a téléphoné.

— A-t-il vu qui a fait ça? Peut-il donner un signalement?

— Un de mes hommes s'en occupe. Je venais vous dire que le professeur, à l'école, nous a décrit l'agresseur de votre fille. Nous avons consulté nos fichiers : nous n'avons aucun agent en tenue qui corresponde à ce signalement. J'ignore comment il a pu se procurer un de nos uniformes, mais je sais que ça n'est pas l'un des nôtres.

De grands flocons de suie maculaient le visage et le complet de Webster, qui demanda :

— Qu'avez-vous? Vous semblez ne pas me croire?

— Désormais, je ne sais plus qui croire. Mon fils est mort, ma fille a été agressée, mon garage est en feu. Malgré tout ça, la police ne veut pas nous protéger et...

— Maintenant, nous assurerons votre protection. Le patron a reconnu qu'il s'était trompé. Il a mobilisé une équipe spéciale pour veiller sur vous.

— Oui... Et si c'est l'un de vos gars qui a prêté son uniforme à ce type? Et si ce même type faisait partie de l'équipe en question?

— Là, je ne sais pas quoi vous répondre. Nous ne pouvons évidemment pas avoir des policiers pour surveiller d'autres policiers.

— Je me retrouve dans la même situation qu'au départ... mais en pire.

21

— Vous pouvez voir d'où le feu est parti, lui dit le chef des pompiers.

Dans le garage, le mur du fond était brûlé de part en part. Il y avait un trou. Tout autour de ce trou, un grand cercle noir irrégulier, avec comme des doigts charbonneux pointant dans toutes les directions. Ils attendirent un peu avant d'approcher du trou. Les pompiers arrosaient une fois encore le bois fumant. Puis les deux hommes enjambèrent les tuyaux d'arrosage et les flaques d'eau. La chaleur du sol de ciment tout craquelé s'insinua à travers la semelle de leurs chaussures. Reuben se brûla la jambe contre la bicyclette de Sarah au cadre tordu et fumant. Les pneus avaient fondu, l'odeur de caoutchouc brûlé était suffocante.

— Là! fit le chef des pompiers. Vous voyez ce que je veux dire?

Il lui montrait des débris de verre sur le sol noirci, puis le trou dans le mur. Bourne mit un moment à comprendre. Webster, qui les avait rejoints, fut le premier à réagir :

— Cocktail Molotov.

Mélangez un tiers de détergent à deux tiers d'essence dans une grande bouteille de limonade. Bouchez-la et collez-y une mèche.

Oui, bien sûr! Ils arrivent à toute vitesse, descendent de voiture, allument la mèche et jettent la bouteille dans le garage, contre le mur du fond. La bouteille se pulvérise. Le détergent colle l'essence au mur et la concentre là comme du napalm. D'où ce trou dans le mur et ces doigts noirs en faisceaux, résultat des giclées d'essence absorbées par le mur.

Reuben ne s'était pas rendu compte qu'il venait de penser cela tout haut, car le chef des pompiers le regarda en demandant : « Comment se fait-il que vous en sachiez autant là-dessus? »

22

Il n'avait pas d'autre choix que de passer la nuit dans la maison. Ailleurs, s'ils allaient dormir chez des amis ou dans un hôtel, par exemple, il serait moins à même de pouvoir se défendre, n'étant pas en terrain connu.

Il attendit donc dans la voiture avec Claire et Sarah jusqu'à ce que le chef des pompiers se fût assuré que le feu ne risquait pas de reprendre. Sarah souffrait trop pour pouvoir marcher. Il la porta dans ses bras. Claire se força à mettre un peu d'ordre dans la maison. L'escalier, le premier étage étaient inondés, les murs noircis et tachés par l'eau. Il étendit Sarah sur leur lit, car sa chambre avait été mise sens dessus dessous par les pompiers. Ils ouvrirent les fenêtres pour chasser l'âcre odeur de fumée qui stagnait partout.

Il s'aperçut que Claire avait disparu. Après l'avoir cherchée partout, il la trouva dans la salle de bains dont elle n'avait pas verrouillé la porte, assise sur le couvercle du siège des W.C., le visage las, les traits tirés, regardant fixement la baignoire d'un air absent. Ses jeans étaient trempés et noircis par le nettoyage qu'elle venait de faire.

— Vas-y, prends un bain. Ça te fera peut-être du bien.

— Reuben, plus rien ne peut me faire du bien.

— La voiture de police est de nouveau devant la maison, et le policier a repris sa faction près du téléphone. Nous sommes à peu près en sécurité. Allez, prends un bain.

— Je ne te hais même plus. C'est dire combien je suis fatiguée.

Il traversa le couloir pour voir comment allait Sarah. Elle s'était endormie. Au bout d'un moment, il entendit l'eau couler dans la baignoire et se dit que c'était toujours ça. Il n'avait guère à espérer mieux de Claire pour l'instant.

A neuf heures, Claire dormait aussi à côté de Sarah.

Reuben circula dans la maison sans allumer l'électricité. Il fuma un moment en compagnie du policier assis près du téléphone, l'extrémité incandescente de leurs cigarettes rougeoyant dans l'obscurité. Il remonta à l'étage avec l'idée d'essayer de dormir, mais ne put supporter l'odeur de fumée; il alla respirer devant la fenêtre ouverte.

Il pleuvait depuis près d'une heure, une petite pluie fine et tenace au bruit de chuchotis. Se penchant par la fenêtre, il offrit son corps à la pluie, sentit l'eau couler dans son cou. Il remarqua que le réverbère était éteint. A part quelques fenêtres éclairées au bout de la rue, tout était obscur, détrempé.

Le réverbère. Il voulut se persuader que ce sentiment de panique qui lui nouait l'estomac était imputable à sa fatigue. Mais la peur ne le lâchait plus. Il n'eut que le temps de se rejeter en arrière. La lueur rouge des explosions stria la nuit comme autant de fusées tandis que la pluie était zébrée d'éclairs et de coups de tonnerre. Cinq, vingt, quarante détonations! La mitrailleuse tirait sur la maison depuis les maisons d'en face. Toutes les vitres du rez-de-chaussée volèrent en éclats. Il se jeta à plat ventre. Les balles ricochaient contre le mur du fond.

Claire se dressa dans le lit. Sarah hurlait. Il s'arc-bouta sur les genoux, le cœur battant à grands coups, la pluie de ses cheveux coulant dans son dos. Une nouvelle rafale pulvérisa l'autre fenêtre, faisant pleuvoir des éclats de verre sur les deux femmes. Claire bondit hors du lit, emportant Sarah dans ses bras, tandis que la mitrailleuse crépitait de nouveau. La fillette eut une crise de nerfs.

— Papa! Papa!

Le tir cessa. Il entendit des claquements de portière, des hommes crier dans la nuit. S'étant remis debout, il risqua un œil au ras de la fenêtre. Les policiers. Ils avaient jailli de leur voiture et se dispersaient, pataugeant dans les flaques d'eau pour se mettre à couvert derrière les deux grands sapins devant la maison. Webster, pensait-il. Appeler Webster. Les policiers avaient dû demander du renfort par radio. Mais ça ne changeait rien, il devait appeler Webster.

Il rampa vers le lit et décrocha le téléphone. Le numéro de Webster! Il ne s'en souvenait plus. De toute façon, c'était inutile. La ligne avait été coupée. Aucune tonalité.

— Restez là, dit-il à Claire et à Sarah. (Puis il se ravisa :) Non, allez dans la salle de bains, couchez-vous dans la baignoire!

Puis il dévala. En haut, Sarah n'arrêtait plus de pleurer. Il faillit renverser le policier qui, debout dans l'obscurité, s'était posté près de la porte d'entrée.

— Ils ont coupé le téléphone, lui dit Bourne.

— Je sais.

Il sentit le regard du policier sur lui. La peur le reprit. Ce pouvait être un des hommes de Kess. Il recula, se heurtant à la rampe de l'escalier.

— Bon sang, ne restez pas ici! lui dit le policier d'une voix épaisse. Remontez à l'étage!

— Je suis descendu pour vous aider... Dites-moi ce que je dois faire.

— Remontez!

Dehors, quelqu'un cria quelque chose.

— C'est moi. On m'appelle, dit le policier.

Il le vit se précipiter dans le living-room et, accroupi au milieu des débris de la grande baie vitrée, l'homme cria :

— Ça va! Ici, tout va bien!

Les voix du dehors crièrent de nouveau. Bourne ne comprit pas ce que les hommes se disaient. Le policier revint dans le vestibule en égrenant des jurons.

— Qu'y a-t-il?

— Ils ont aussi mitraillé la voiture, répondit l'homme de sa voix épaisse. Nos gars ont couru s'abriter derrière les sapins de devant, mais ils en ont touché un à la tête. Le sang lui coule sur les yeux. Il ne voit plus rien.

Le policier déverrouilla la porte et l'entrouvrit. Dehors, c'était la nuit.

— Hé, attendez! s'exclama Bourne. Que faites-vous?

— Je vais le chercher.

Bourne écouta la pluie.

— Non... Restez ici... Que votre collègue l'amène ici.

— On peut pas... S'ils recommencent à tirer, faut bien que quelqu'un puisse riposter pour me couvrir, pendant que je le ramènerai.

— Mais vous pouvez aussi bien le couvrir d'ici. Vous n'avez pas besoin de sortir. Je vous en prie, ne me quittez pas!

— Il le faut. D'ici, mon tir ne serait pas efficace, à cause de ces arbres. C'est à moi d'aller le chercher. Il n'y a pas d'autre solution.

Le policier ouvrit un peu plus la porte. Bourne pouvait entendre sa respiration haletante.

— Non, restez! dit-il en étendant la main pour le retenir.

— Croyez-vous que je n'ai pas envie de rester? rétorqua l'autre. Croyez-vous que j'ai vraiment envie d'aller risquer ma peau?

23

L'instant d'après, il avait disparu.

Bourne resta debout, près de la porte ouverte. Dans l'obscurité, il écouta le bruit des pas du policier. Celui-ci traversa rapidement le perron de bois puis se retrouva sur le dallage mouillé de l'allée. Après, Reuben n'entendit plus que le bruit de la pluie. Pourquoi les renforts n'étaient-ils pas encore là? Qu'attendait-on pour envoyer d'autres voitures de police? Pourquoi n'entendait-il pas leurs sirènes?

C'était comme s'il revenait en arrière, se trouvant reporté au moment où il attendait la police et l'ambulance, après l'empoisonnement d'Ethan. Il se trouvait presque au même endroit, se rongeant les sangs à se demander pourquoi les secours n'arrivaient pas. Le poison et le chat. Ethan. Sarah et la maison. Les coups de téléphone. Pourquoi les sirènes n'arrivaient-elles pas?

Webster avait sans doute donné l'ordre de ne pas les actionner, afin de ne pas avertir les hommes de Kess. Où étaient-ils? Pourquoi mettaient-ils si longtemps? Il eut une hallucination : les hommes de Kess fonçaient vers la maison, il devait à tout prix fermer la porte, se barricader. Mais il ne pouvait pas faire ça, dehors le policier et son collègue blessé comptaient sur cette porte ouverte...

Ici et là, des lumières étaient allumées dans les maisons de l'autre côté de la rue. Sans cesse, de nouvelles fenêtres s'éclairaient. Peut-être que les hommes de Kess étaient déjà partis... Soudain, l'éclair d'un coup de feu, une détonation, puis un hurlement... Qui avait tiré? Qui avait crié? Il claqua la porte, poussa le verrou. L'un des agresseurs, en face, tirait des balles perforantes. L'une d'elle troua la porte, de part en part. Une douleur violente lui brûlait l'épaule.

Au-dehors, le hurlement ne cessait pas... Mais non, c'était lui qui criait sur le seuil du living-room, une main plaquée sur son épaule devenue insensible. Il n'y avait pas de sang. Il n'arrivait pas à s'expliquer cette absence de saignement, puis il comprit : il avait été atteint non par le projectile, mais par l'éclatement du bois de la porte. Une seconde balle perforante fracassa la porte, faisant voler à travers le vestibule des échardes et du plâtre. Il hurlait. Des tirs sporadiques de fusils et de revolvers... « Ils ont tué tous les policiers, maintenant ils vont venir ici pour moi, pour nous... » pensa-t-il en se ruant vers l'escalier.

Son épaule s'ankylosait. Il trébucha sur les marches. Enfin, il put atteindre le placard où il avait rangé ses armes. Il n'arriva pas à les trouver dans l'obscurité, et dut allumer. Les armes n'étaient plus là. Claire. Elle avait dû les changer de place, de crainte que Sarah les touche.

Il entendit sa fille qui pleurait de façon hystérique, dans la chambre. Pourquoi n'étaient-elles pas allées dans la salle de bains, comme il le leur avait dit? « Où sont les armes? Où as-tu mis les armes? »

Il les retrouva sur l'étagère du haut de l'armoire, cachées sous des couvertures. Laquelle prendre? La carabine était trop imprécise, et surtout peu efficace dans un combat rapproché. Alors, le revolver ou le pistolet? Les paroles de Webster lui revinrent à l'esprit : « Ça n'est pas comme dans les livres... Avec vos calibres 22, vous ne leur ferez pas grand mal. »

Il empoigna le revolver, un Ruger. Son tir n'était pas rapide, il fallait le réarmer après chaque tir, mais c'était une arme efficace, dont le barillet de rechange pouvait tirer des balles Magnum de 22. Il retira le barillet ordinaire et encastra le barillet de rechange. Il n'irait peut-être pas loin avec ce revolver, mais c'était déjà ça... Il vit alors du sang sur ses mains, du sang poisseux, qui s'était imprégné sur la crosse du Ruger. Il tâta de nouveau son épaule et ne vit sur la chemise que l'empreinte de ses doigts tachés de sang. Ce n'était pas son épaule qui saignait, mais ses mains. Les éclats de verre dans la chambre à coucher. Sur l'instant, il ne s'était même pas rendu compte qu'il s'était coupé. Handicapé par son épaule, il eut peine à charger le revolver, ses doigts laissant tomber certaines des balles qu'il puisait dans leur boîte. Il se sentait tremblant et maladroit. Au-dehors, les tirs avaient cessé. Ils ont descendu tous les policiers. Ils vont venir.

— Claire! cria-t-il en se précipitant dans la chambre. Lève-toi... Nous partons!

Mais elle ne fit aucun mouvement pour se mettre debout, ne donna même pas l'impression d'avoir entendu. A l'extérieur, le hurlement reprit, un hurlement aigu qui donnait la chair de poule. Claire serrait Sarah contre elle, la berçant doucement dans la faible clarté provenant du couloir, lui embrassant les cheveux.

— Oh! mon dieu, disait-elle, je regrette sincèrement de

vous avoir offensé. Je déteste tous mes péchés parce qu'ils peuvent me faire perdre le paradis et me valoir l'enfer, mais plus que tout, je...

Sarah pleurait, pleurait. Il leur dit :

— Assez! Levez-vous toutes les deux.

— Parce que je Vous ai offensé, mon Dieu, et que Vous êtes infiniment bon, infiniment aimable. Je prends la ferme résolution, avec le secours de Votre Sainte Grâce...

— Viens, nous partons! ordonna-t-il en la forçant à se mettre debout. Tu m'entends? Nous partons.

Sur la moquette, les débris de verre ressemblaient à des fragments de glace. La gifle de Claire fut si forte que, pendant une seconde, il en perdit la vue. Il ne voyait plus. Il recula, secoua la tête pour retrouver ses esprits.

— Tu n'as pas à me dire « Assez! », hurla Claire. Nous allons mourir à cause de toi.

— Oui, c'est exact : si nous restons ici, nous allons mourir.

Il prit Sarah dans ses bras. Il sentit ses larmes, humides et chaudes, ruisseler à travers sa manche de chemise. Il courut dans l'escalier, puis dans le vestibule, traversa le living, la cuisine, puis reprit son souffle une fois arrivé devant la porte de derrière. Combien pesait Sarah, au fait? Elle était si lourde. Dans l'obscurité de la cuisine, il se cogna douloureusement sur un coin du fourneau et dut poser Sarah, tout en constatant que Claire ne les avait pas suivis. Elle avait dû rester là-haut. Il avait espéré que cette gifle la soulagerait. Fausse espérance...

Non, il ne s'était pas trompé. Elle les avait rejoints, ombre parmi les ombres.

— Et s'il y en a d'autres cachés derrière la maison? dit-elle.

Il y avait pensé, et ne voyait qu'un moyen de s'en assurer. Il devait sortir le premier. Il déverrouilla la porte, tourna la poignée, la crosse du Ruger bien calée dans sa main droite.

De nouveau, il crut entendre la voix de Webster : « Si

vous vous mettez en tête de faire la guerre à ces types, vous vous rendrez compte que tirer sur un type, dans un livre, est mille fois plus facile que d'en viser un, dans la vie... »

Il n'arrivait pas à tourner la poignée de la porte. Il fallait qu'il sorte. Il ne s'en sentait plus capable.

24

Ce qui décida de tout, ce furent ces hurlements d'homme, dehors, devant la maison. Car, soudain, il mourut. Alors, dans un éclair de panique, Reuben imagina les assaillants se ruant sur la porte d'entrée. L'estomac en feu, les mains tremblantes, il ouvrit en grand la porte de derrière, en disant à Claire : « Referme aussitôt. » Puis il se précipita vers les buissons, à droite de la maison.

Il glissa, tomba sur son épaule blessée. Des branches lui griffaient le visage. L'un de ses ennemis pouvait se cacher dans ces buissons, et l'abattre à bout portant. Il se coucha au pied du mur de la maison, tout en essayant de deviner, à travers l'obscurité et la pluie, si quelqu'un était là.

Non, personne.

Il rampa vers les buissons. Webster avait raison. Il ne savait pas s'y prendre. Il avait souvent décrit des scènes comme celle-là, s'imaginant dans une situation semblable, mais il faisait trop de bruit, respirant trop fort. Il cassait des branches, glissait dans la boue, et n'importe qui pouvait facilement lui tirer dessus et l'abattre.

Sa propre maladresse lui rendit finalement confiance. Il s'y prenait si mal que, s'il y avait eu quelqu'un là, il serait déjà mort.

A moins qu'ils ne veuillent attendre que Sarah et Claire sortent aussi.

Il parcourut du regard la longue étendue du jardin, dont les buissons et les arbres offraient quantité de cachettes. Il vit la balançoire de Sarah, la barrière blanche tout au fond et, au-delà, le jardin des voisins. Les coups de feu auraient dû réveiller ceux-ci. Il aurait dû voir de la lumière dans leur maison. Les fenêtres éclairées des deux maisons qui encadraient la sienne projetaient leur clarté sur l'herbe mouillée des pelouses, qu'elle faisait briller. Mais la maison des voisins n'était pas éclairée. Peut-être étaient-ils absents.

Ou peut-être sont-ils prisonniers des hommes de Kess. A cause de moi.

Ne pas penser à cela. Continuer d'avancer.

Bondissant de sa cachette, il courut sous la pluie, en direction des buissons du jardin. Son épaule lui faisait maintenant si mal qu'il dut prendre le Ruger dans sa main gauche. Peu importait qu'il fût un piètre tireur de la main gauche, car, de toute façon, s'il tombait sur un ennemi embusqué, il n'aurait pas la force d'appuyer sur la gâchette. L'idée qu'il traquait des ennemis était du plus haut comique, car il ne savait absolument pas comment s'y prendre, s'il devait se faufiler dans les buissons ou, au contraire, les contourner. Il opta pour cette dernière tactique et s'il continua d'avancer, ce fut avec l'idée de servir de cible, pour être certain que Claire et Sarah pouvaient sortir dans le jardin, sans aucun danger. La pluie redoublait de violence, trempant ses vêtements qui collaient à sa peau. Il revint dans les buissons et s'y tapit tout en s'essuyant les yeux d'un revers de main. Puis il courut à découvert.

Personne.

Il reprit son souffle. Il tremblait tant qu'il se sentait incapable de faire un pas de plus.

Avance, s'ordonna-t-il. Juste encore un peu. Allez, vas-y! Tu as presque fini.

Il ne bougeait toujours pas.

Vas-y! Dépêche-toi! Avance encore jusqu'à la barrière

blanche, puis reviens chercher Claire et Sarah, et puis foutez le camp d'ici!

La perspective de pouvoir les sauver toutes deux lui donna la force d'avancer. A mi-chemin de la barrière, il vit une ombre se mouvoir sur sa droite. Derrière l'érable. Son tronc sombre se dédoubla, accouchant d'une silhouette. « Halte! » cria une voix. Faisant volte-face, il courut vers la maison comme un fou, glissa sur l'herbe mouillée et se retrouva à plat ventre, tenta de se relever, retomba. « Halte! » entendit-il de nouveau, derrière lui. Plusieurs détonations le firent aussitôt se jeter la tête la première dans les buissons. Trois balles sifflèrent au-dessus de sa tête. Elles allèrent s'enfoncer dans le bois de la maison, à l'intérieur de laquelle il entendit Claire hurler : « Reuben! ». Replié sur lui-même, il pivota de tout son corps et tira à vue. Une, deux, trois, quatre détonations. Après, il ne vit plus d'ombre mouvante. Il ne savait plus sur quoi tirer. La nuit redevint presque silencieuse, malgré le bruit de la pluie, les cris des voisins d'en face, et le hurlement des sirènes... Des sirènes très lointaines mais qui se rapprochaient.

— Reuben! hurla Claire à l'intérieur de la maison.

— Tais-toi! pensa-t-il. N'ouvre pas la porte!

Mais il ne pouvait pas lui crier de se taire. C'eût été s'offrir au feu de l'adversaire. Il entendit une sorte de gémissement, sur sa droite, du côté de l'érable. Il avait tiré. Il était prêt à recommencer. Webster s'était donc trompé sur ses capacités. Les sirènes se rapprochaient de plus en plus. Le gémissement continuait, rauque, étranglé, avec quelque chose de liquide, comme s'il avait atteint l'homme à la gorge.

Reuben s'aperçut que ces buissons lui donnaient une fausse impression de sécurité, sans le protéger vraiment. N'importe qui pouvait l'abattre.

Il n'y avait plus personne dans les parages.

Le gémissement se mua en une sorte de toux. Reuben rampa en direction de l'érable. La porte s'ouvrit. « Ferme la porte! » cria-t-il à Claire. Il attendit. « Ferme cette bon sang de porte! » Cette fois, Claire la referma.

Il avait atteint l'érable. L'homme râlait, étendu sur une plate-bande fleurie. Il avait le visage tourné vers le ciel et sous son menton, une grande tache sombre était diluée par la pluie. Sa main restait tendue vers l'endroit où son revolver était tombé dans l'herbe. Reuben s'empara de l'arme. Un Magnum. Plus efficace que le sien. Il l'arma, visa l'homme au front, mais les yeux grands ouverts de l'homme ne cillèrent même pas...

Une rafale de pluie lui fouetta le visage. Les sirènes devenaient assourdissantes. Glissant sur l'herbe, Bourne s'élança vers la maison, gravit les marches du perron et ouvrit la porte.

— Partons! dit-il à Claire.

— Tu n'as rien?

— Non. Filons, vite!

— Mais les sirènes... Nous ne risquons plus rien maintenant, les secours arrivent.

— Nous partons. Webster était le seul en qui j'avais confiance même si, par moments, il m'arrivait de douter de lui. Il n'y a qu'un moyen de nous mettre en sécurité : c'est de nous sauver quelque part où personne ne saura qui nous sommes, ni la police ni qui que ce soit.

Dans l'obscurité, il sentit qu'elle le regardait.

— Claire, nous n'avons pas le choix. Nous ne pouvons plus rester ici. Ils reviendront encore. C'est la seule chance qui nous reste...

Il put à peine articuler les mots et, sans pouvoir se contrôler, il se mit à pleurer :

— La seule chance qui nous reste, c'est de nous *cacher*.

Ce dernier mot mourut dans ses larmes. Bourne s'essuya les yeux, prit Sarah dans ses bras. Les sirènes s'immobilisaient devant la maison en hurlant. Il sortit avec elle sous la pluie, par la porte de derrière.

— Je ne veux pas m'en aller, Reuben.

Il comprenait ce qu'elle ressentait.

— Je te comprends, dit-il en regardant encore une fois leur maison. Dieu sait que, moi aussi, je voudrais ne pas m'en aller.

Ils coururent sous la pluie à travers le jardin, juste au moment où ils entendirent des voix devant la porte d'entrée. Reuben tenait Sarah dans ses bras. Il la confia un instant à Claire, pour pouvoir enjamber la barrière, puis il reprit Sarah pour permettre à Claire de passer cet obstacle. Il traversa avec précaution le jardin des voisins, contourna leur maison, regarda à droite et à gauche dans la rue de derrière. Complètement trempée, Sarah pleurait contre lui. Il pleurait aussi et le sel de leurs larmes se mêlait à la pluie dans sa bouche. Alourdi par son fardeau, il traversa la rue en courant, suivi de Claire et, pour autant qu'il pût en être certain, personne ne les suivait.

Deuxième partie

1

— C'est là, papa?

— Non, ma chérie. Notre maison est juste après le tournant.

Claire, Sarah et lui marchaient sur un chemin non macadamisé, parallèle aux collines. A leur gauche s'étendait une vaste plaine herbeuse. A leur droite s'étageaient des bois de cornouillers, de trembles et de peupliers, auxquels succédait la saignée des sapins vers les sommets crêtés de neige. Il était agréable de marcher par cet après-midi chaud et ensoleillé. Reuben leva le bras pour toucher les branches sous lesquelles ils passaient.

Finalement, il était entré seul chez l'agent immobilier. En effet, à supposer qu'on les ait pris en chasse, un homme accompagné d'une femme et d'une petite fille étaient trop repérables. Certes, même en se montrant seul, l'agent immobilier pourrait malgré tout donner son signalement. De toute façon, il n'avait pas le choix. Par prudence, il s'était laissé pousser la barbe et utilisait un nom d'emprunt. Autre problème : l'agent immobilier serait peut-être intrigué de le voir lui verser la caution en coupures de vingt dollars; aussi prétendit-il vouloir louer un pied-à-terre pour la saison de la chasse. Grâce à cette tactique, il pourrait non seulement payer en espèces, mais aussi régler son loyer mensuel sans que l'agent puisse trouver cela bizarre. Trois chalets seulement étaient à louer. Ne voulant pas avoir l'air trop pressé, Reuben visita les trois pour la forme; puis il revint à l'agence verser l'argent et signer le bail.

— C'est un endroit exceptionnel, monsieur Whittaker, lui avait dit l'agent immobilier. Je ne m'explique pas que ce chalet n'ait pas été loué plus tôt. Je suis certain que vous ne serez pas déçu. A propos quelles sont vos préférences?

— Pardon?

— Je veux dire : qu'aimez-vous chasser?

— Oh! surtout l'orignal. Jusqu'à ces derniers temps, je ne chassais guère que le daim, mais l'envie m'est venue de m'attaquer à un plus gros gibier.

— Je vous comprends très bien. J'ai un ami qui ne chasse que l'orignal. Mais il n'y en a plus tellement et, pour en tirer un, c'est un peu comme à la loterie. Mon ami, lui, n'a pas de chance!

Après, il était allé rechercher Claire et Sarah dans une ancienne carrière où il les avait laissées. Ils avaient acheté des sacs à dos et des provisions, puis ils s'étaient mis en route pour prendre possession de leur chalet. Huit kilomètres plus loin, après un virage, ils avaient pris un petit chemin défoncé et herbeux, qui s'élevait entre les arbres.

Trente mètres plus haut, les arbres disparurent pour faire place à une nouvelle côte, recouverte de massifs d'armoises et de rochers qui affleuraient. Ils s'immobilisèrent un instant, humant à pleins poumons l'air pur, sentant le soleil sur leurs têtes.

— Ah! je sais ce que nous avons oublié! s'exclama Reuben. Quelque chose pour nous couvrir la tête. Sans chapeau nous risquons d'attraper une insolation.

— Mais où c'est, papa? Je vois rien.

— Tu vas le voir dans un moment, ma chérie. Je suis sûr qu'il te plaira.

Ils se remirent en marche, peinant davantage, maintenant, à cause de la montée. Quand ils arrivèrent en haut, Claire s'exclama « Oh! Reuben! » mais il se demanda si c'était un cri de joie ou un aveu de déception.

— Ça te plaît?

— J'adore!

Il se sentit tout fier. Bâti sur un terre-plein en retrait de la côte, c'était un chalet à un étage, au toit couronné d'une tourelle. De grosses pierres mal équarries supportaient ses quatre murs de rondins. Il y avait un porche et un puits; des fenêtres à petits carreaux de chaque côté de la porte d'entrée; un appentis sur la droite. Le chemin d'accès, pavé, était presque complètement recouvert de hautes herbes. Sarah admirait le puits, penchée au-dessus de la margelle.

— Fais attention, ma chérie, dit Claire.

— Il y a de l'eau au fond!

— Bien sûr, dit Reuben. Et elle a été analysée. C'est une eau que l'on peut boire, il n'y a pas d'infiltrations. Le toit est étanche, la cheminée tire bien, et nous avons une grosse cuisinière en fonte. Nous pourrons vivre là toute l'année sans manquer de rien. Ça te plaît? redemanda-t-il à Claire. Ça te plaît vraiment?

Pivotant sur elle-même, Claire regarda au bas de la colline : les arbres, la route, puis la vallée s'étendant au-delà. Elle leva les bras vers le ciel bleu et se retourna en souriant pour considérer de nouveau le chalet :

— C'est vraiment parfait!

Alors pour la première fois depuis la mort d'Ethan, elle étreignit affectueusement le bras de son mari, avant de courir vers la maison.

— La seule chose que je n'aime pas, ce sont ces arbres, là derrière, lui dit Reuben. De ce côté, la vue est parfaite. Mais ces arbres qui font écran...

Claire ne l'écoutait pas. Elle était déjà devant la porte.

— Je ne peux pas ouvrir. La porte est coincée.

— Si tu essayais avec ça, dit-il en souriant et lui tendant la clef.

Une odeur de renfermé l'assaillit. Elle s'immobilisa un instant, sur le seuil, pour regarder les housses grises de poussière qui recouvraient les meubles, les bûches calcinées dans la cheminée, les toiles d'araignées dans les coins. Elle tira les rideaux et ouvrit les fenêtres, pour aérer et laisser entrer le soleil. Elle se dirigeait vers la chambre, située au fond, à gauche, lorsque Reuben dit soudain :

— Sarah... Où est-elle?

Sarah n'était plus près du puits.

Reuben sortit de la maison. Après en avoir fait le tour, il vit sa fille devant la porte de l'appentis qu'elle avait ouverte.

— Papa, y a une drôle de chaise là-dedans... Avec un trou au milieu.

— Bien sûr, ce sont les cabinets.

— Les quoi?

— Les W.C., si tu préfères. C'est comme ça qu'ils étaient autrefois.

— Mais quand il neige et qu'il fait froid?

— Eh bien, tu ne t'y attardes pas.

Il sourit et Sarah fut prise d'un fou rire.

— Viens... On va aller voir ce que fait maman.

Claire avait déjà nettoyé la chambre. Elle inspectait maintenant la cuisine, dont le sol était de terre battue : au centre, une solide table de bois; un buffet, une fenêtre au-dessus de l'évier et une immense cuisinière à huit ronds. Retroussant ses manches, Claire entreprit de retirer les housses dans le living, soulevant des nuages de poussière.

— Alors? s'enquit Reuben.

— Alors, j'ignore quels sont tes projets dans l'immédiat mais, pendant que je vais nettoyer tout ça, tu vas aller chercher de l'eau et remplir la chaudière pour que je prenne ensuite le plus long bain chaud de ma vie. Ah! autre chose...

— Oui? Dis-moi.

— Dès que tu auras rempli la chaudière, entame la bouteille que tu as achetée, assieds-toi et réfléchis à ce que tu veux pour dîner.

— Des spaghettis, dit Sarah.

— Alors, spaghettis pour tout le monde! déclara Bourne.

Ils n'avaient acheté que des conserves car, lorsqu'il l'avait visité avec l'agent immobilier, Bourne avait remarqué que le chalet ne comportait pas de réfrigérateur. Cela n'avait rien d'étonnant, d'ailleurs, puisqu'il n'y avait pas l'électricité. Par contre, il y avait une glacière. Cet hiver, ils pourraient donc acheter de la viande et la conserver dans la glacière, mais en attendant ils devraient se nourrir de conserves. Reuben alla prendre quelques bûches sur le tas de bois qui était empilé derrière la maison. Il alluma la cuisinière et la chaudière. Ce soir-là, installés dans la cuisine autour de la table qu'éclairait une lampe à pétrole, ils mangèrent leurs spaghettis à la tomate avec un appétit vorace. Reuben lui-même, bien que sachant les spaghettis très chauds, ne résista pas à l'impatience d'en engloutir une pleine fourchette, et se brûla le palais.

— Seigneur! dit-il avec ravissement.

Après quoi, ils firent la vaisselle, puis passèrent dans le living où ils se partagèrent les deux fauteuils et le sofa. Reuben se servit un deuxième whisky, tout en humant la bonne odeur des bûches de la cheminée.

— Papa, combien de temps on va rester là? demanda Sarah en s'étirant sur le sofa.

— Oh! je ne sais pas... Tout l'hiver, je pense, à moins qu'il ne fasse trop froid. Je n'y ai pas encore réfléchi. Pourquoi? Tu ne penses pas te plaire ici?

— Oh! si... Je me demandais justement si, quand il y aura de la neige, on pourra faire de la luge?

— Bien sûr! Te bile pas, ma jolie : nous ferons des tas de choses.

Et comme elle étouffait un bâillement, il ajouta :

— Mais pour l'instant, le mieux que tu puisses faire, c'est encore d'aller te coucher.

— J'veux pas me coucher. J'veux rester avec vous deux.

— Non. Tu as besoin de bien dormir et de te reposer. Dis-toi qu'une longue journée t'attend demain : tu m'aideras à couper toutes ces hautes herbes devant la maison.

— J'veux pas aller déjà au lit.

— Allons, viens, ma chérie. La chambre est à côté. Tu seras donc près de nous. Et n'aie pas peur de passer la nuit seule, nous allons tous coucher dans la même pièce.

Reuben se leva :

— Viens...

Elle ne bougea pas, mais n'opposa aucune résistance quand il la souleva dans ses bras pour l'emporter dans la chambre. Le lit était long et large, avec des barreaux de cuivre, un gros édredon. Comme Sarah n'avait pas de pyjama, il lui dit d'ôter simplement ses chaussettes et de dormir en combinaison. Il la borda, puis l'embrassa. Avant de fermer les rideaux, il regarda par la fenêtre mais ne put rien voir.

— Papa?

Il se retourna.

— Je peux avoir de la lumière?

— Bien sûr, ma belle. C'est une maison que nous ne connaissons pas et il n'y a donc rien de mal à vouloir de la lumière le temps de s'y habituer.

Il ôta le verre de la lampe Pigeon, posée sur la table de nuit, craqua une allumette, l'approcha de la mèche, régla celle-ci le plus bas possible, l'alluma puis remit le verre.

— Dans la nuit, si tu as besoin de faire pipi, réveille-moi et je t'accompagnerai. Il l'embrassa de nouveau et quitta la chambre en laissant la porte légèrement entrouverte.

Claire était debout près de la fenêtre du living :

— On voit les lumières de la ville en bas, dit-elle.

C'était plutôt un reflet luminescent que des lumières. Ils demeurèrent à le contempler en silence et, sans y penser, Reuben prit sa femme par la taille.

— Tout ira bien, dit-il, comme s'il voulait s'en convaincre lui-même.

— Oui, bien sûr.

Il n'aurait pu affirmer si elle le croyait ou non.

Elle s'appuya contre lui, la tête sur sa poitrine, et écartant tendrement ses cheveux, il l'embrassa dans le cou.

— Mais la petite va entendre... dit Claire.
— Nous ne ferons pas de bruit.

Plus tard, tandis que dans l'obscurité du living il contemplait le reflet des lumières de la ville, il pensa que le meilleur moyen de les attaquer serait d'attendre dans l'obscurité jusqu'à ce que l'un d'eux ait besoin d'aller aux cabinets. Il pensa aussi que, si quelqu'un était entré, tout à l'heure, tandis qu'ils faisaient l'amour sur le plancher, ils auraient été incapables de se défendre...

2

Bourne fit le tour du ranch :
— Avez-vous des chevaux à vendre?
— Ça dépend, répondit le vieux.
— Ça dépend de quoi?
— Oh! d'un tas de choses... Ça dépend pour quoi vous les voulez, si vous connaissez bien les chevaux et, avant tout, de combien vous voulez mettre.

Bourne attendait devant la porte. Le soleil lui brûlait les yeux. Le vieux l'observait à travers la moustiquaire crasseuse de sa porte. Bourne avait longtemps réfléchi avant de décider à quel ranch il s'adresserait : celui du nord, situé un peu trop près de la ville, ou bien les deux autres, au sud, qui en étaient assez éloignés. Pour plus de sûreté, il avait opté pour ces derniers et avait atterri chez ce vieux.

C'était un vieux ranch délabré.

Le vieux ouvrit la porte grillagée et sortit. Bourne constata qu'il mâchait quelque chose.

— Excusez-moi... Je ne pensais pas vous déranger à table.

— Oh! ça ne fait rien... De toute façon, j'avais presque fini.

Le vieux avait des bottes de cow-boy, des jeans délavés et une chemise à carreaux tachée de sueur. Ses épaules étaient voûtées, la peau pendait sous son menton, mais ses manches retroussées laissaient voir des bras musclés et durs.

— Donc, vous voudriez des chevaux...

— Oui, j'ai l'intention d'aller chasser dans la montagne et j'en ai besoin pour transporter mes affaires.

— Combien vous en faudrait-il?

— Trois. Un pour le monter, les autres pour charger mon équipement.

— Vous allez chasser tout seul?

— Oh! ça ne sera pas la première fois!

— A votre guise. Ces chevaux ne sont pas des pigeons voyageurs, vous savez. S'il vous arrive un pépin, là-haut, ils ne reviendront pas me porter un message de détresse.

Le vieil homme sortit. Bourne reçut le soleil en plein dans les yeux lorsqu'il se tourna pour lui emboîter le pas. Ils marchaient en direction d'une écurie aussi mal en point que le ranch. Six chevaux piétinaient dans le corral, autour d'un abreuvoir. Reuben dut plisser les paupières pour pouvoir les examiner sous cette aveuglante lumière, une main en visière au-dessus des yeux.

— Voilà tout ce que j'ai, dit le vieux qui continuait à mâchouiller. Maintenant, je ne fais plus d'élevage. J'ai loué ma terre au gars qui habite un peu plus loin et je n'ai gardé que ces quelques chevaux, histoire de ne pas perdre la main.

— Oui, c'est ce qu'on m'a dit, en me précisant que vous ne verriez peut-être pas d'inconvénient à vous séparer de certains d'entre eux.

— Peut-être... Vous vous y connaissez en chevaux? demanda l'autre en s'appuyant à la clôture du corral.

— Un peu.

— Quels sont les trois meilleurs, à votre idée?

C'était donc ça. Le vieux ne se refusait pas à vendre, mais il ne voulait pas vendre à n'importe qui. Il voulait voir si Bourne s'y connaissait.

Les chevaux avaient levé la tête à l'approche des deux hommes et ne cessaient de les observer : trois bais, un alezan, un *pinto* * et un indien.

C'était toutes des juments, trapues, épaisses, à l'exception du *pinto* qui était le plus petit des six, et aussi le plus maigre.

Bourne enjamba la clôture et sauta dans le corral, laissant les chevaux le humer, avant de s'avancer la main tendue vers l'indien. Ce dernier mit un moment avant de consentir à plonger son museau dans la paume de Reuben, avec l'espoir d'y trouver un morceau de sucre ou peut-être une pomme. Reuben examina les autres; deux d'entre eux, un bai et l'alezan, s'approchèrent prudemment de lui. Les autres ne bougèrent pas, regardant la scène d'un œil curieux. Il caressa le museau de l'indien, lui flatta l'encolure puis, faisant glisser sa main le long de l'échine, lui appliqua une claque sur l'arrière-train pour le mettre au galop. Il fit de même avec le *pinto*. Bientôt, les six juments galopèrent autour du corral. Bourne rejoignit le vieil homme et les observa, adossé à la clôture.

Il n'avait pas tout à fait menti en déclarant s'y connaître un peu en chevaux. Son expérience des chevaux, il l'avait accessoirement acquise en faisant un peu d'équitation, mais il la devait surtout, pour les besoins d'un roman qu'il écrivait, à ses lectures de manuels équestres, où il avait appris comment distinguer les différentes races, leur comportement, et comment les nourrir. Autrement dit, il était fort en théorie mais profane dans la pratique, et sa « science » allait maintenant être mise à l'épreuve.

— L'indien n'y voit pas d'un œil, remarqua-t-il. Mais je ne saurais dire si c'est dû à un accident ou à une maladie, la cataracte peut-être...

* Cheval pie.

— Elle est née comme ça, mais je n'ai pu me résoudre à l'abattre. J'avais alors mes petits-enfants qui venaient me voir. Ils la montaient.

— L'un des bais à un sabot fendu à l'antérieur droit, mais ça n'est pas grave si on le soigne assez tôt. Les deux autres bais ont l'air bien, mais ils sont vieux et je ne pense pas qu'ils puissent encore fournir plus d'un an ou deux de gros labeur. L'alezane, c'est différent. Elle présente une enflure de la partie supérieure du canon qui ne me plaît pas.

— C'est une excroissance par calcification.

— Je ne le pense pas. Qu'en dit le vétérinaire?

— Que c'est une excroissance par calcification.

— Oui, bien sûr... Moi, j'ai plutôt l'impression que c'est parce qu'elle se donne des coups de sabots en galopant, et si elle continue comme ça, elle va finir par s'estropier. Le seul qui me laisse indécis, c'est le *pinto*. Je suis incapable de dire s'il est malade ou bien naturellement maigre.

— Qu'est-ce que vous en dites, en définitive?

— Pas d'hésitation possible; les meilleurs, ce sont les trois bais. Les autres peuvent encore servir si l'on sait comment les soigner, mais je doute que l'alezane soit encore debout dans un an d'ici. Quant au *pinto,* il faudra que je m'en accommode. Je dis donc que, si vous êtes vendeur, j'achèterai ces trois-là.

— Si je me décide à vendre. Deux chevaux pour transporter votre équipement... Vous êtes drôlement chargé, dites donc?

Reuben hocha la tête :

— Non. Un seul portera l'équipement. Je chargerai sur l'autre de l'avoine et du grain.

— Oui, c'est comme ça que je fais, moi aussi. Pourquoi ne pas vous contenter de les louer? Dès que la saison de la chasse sera finie et qu'il y aura trop de neige, ils ne vous seront plus d'aucune utilité. Alors je vous conseillerais plutôt de les louer.

De nouveau, Reuben hocha la tête :

— Quand je serai là-haut, s'il arrivait quelque chose et que je doive en abattre un, je préfère savoir qu'il m'appartient. Je ne veux pas me sentir responsable envers vous. Quand je n'en aurai plus besoin, je vous les revendrai. A moindre prix, bien sûr, mais la différence équivaudra au coût d'une location. Ainsi, tout sera plus clair entre nous.

Le vieil homme pesa la chose.

— Pas mal, apprécia-t-il en se remettant à mâchouiller. J'ai jamais rien entendu de plus net et précis.

— Alors, marché conclu?

— Pas tout à fait. Il y a encore l'autre point à voir.

— C'est-à-dire?

— Combien vous pouvez m'en donner? Aimez-vous l'alcool de grain pur?

— Je n'en ai jamais goûté.

— Je suis sûr que ça vous plaira. Entrez donc un instant, que nous discutions de tout ça en buvant un verre ou deux...

3

Il les repéra juste comme il sortait de chez le quincaillier, son sac à dos chargé. Il était entré acheter un ceinturon avec étui pour y ranger le colt Magnum qu'il avait pris au type abattu dans son jardin, une arme style western qui nécessitait un large ceinturon de cuir formant cartouchière, avec une lanière au bout de l'étui pour l'attacher autour de la cuisse. Il avait aussi acheté une boîte de cartouches supplémentaire, qu'il avait rangée dans le sac à dos, avec le Magnum et le ceinturon juste avant d'ouvrir la porte pour sortir de la boutique. Il eût été bien incapable de dire ce qui l'avait fait regarder de l'autre côté de la rue à ce moment précis.

Eux aussi le regardaient.

Ils marchaient sur le trottoir d'en face. Ils étaient deux, vêtus de jeans comme tout le monde, mais avec des chemises de laine à carreaux rouges sous des vestes kaki de treillis militaires qu'ils portaient déboutonnées. L'un d'eux avait donné un coup de coude à l'autre, en désignant Bourne du menton. Celui-ci ne s'attarda pas. Le temps de passer les bretelles de son sac à dos, il se mit lentement en marche.

C'était vendredi. Le soleil brillait. Il était trois heures une minute à la grande pendule qui se trouvait cent mètres devant lui. Des autos et des camions étaient garés tout le long de la rue, les gens étant venus de tous les villages avoisinants pour chercher de l'argent à la banque et faire leurs provisions pour le week-end.

T'affole pas, se dit Reuben.

Mais malgré lui il pressa le pas, avant de se contraindre à ralentir.

T'affole pas!

Il avait envie de se retourner pour voir si les deux types le suivaient toujours. Mais il se retint de le faire, et s'arrêta devant une vitrine de pharmacie, exposant des rasoirs et des savonnettes. Il aperçut leur reflet dans la vitre; ils étaient sur l'autre trottoir, juste en face.

Ils l'observaient. Il entra dans la pharmacie, d'instinct.

Comment l'avaient-ils si vite retrouvé?

— Je voudrais une trousse de premier secours, demanda-t-il à la vendeuse en blouse blanche, debout derrière le comptoir. Et aussi de l'aspirine et des vitamines en comprimés.

Et quoi d'autre? De quoi auraient-ils aussi besoin? Sa tension nerveuse avait dû transparaître dans sa voix, car la vendeuse le regarda fixement avant de lui préparer sa commande.

La pharmacie sentait le désinfectant.

Un couteau! pensa-t-il. Quand j'étais à la quincaillerie, j'aurais dû acheter un couteau.

Caché à la vue des passants par un étalage de sels pour bain, de shampooings et de laques, ils les vit traverser la rue, s'arrêter pour laisser passer un motocycliste, puis s'immobiliser entre deux voitures garées devant le trottoir du magasin.

— Voici, monsieur, dit la vendeuse.

Il se retourna, et la regarda ranger sa commande dans un grand sac de papier kraft.

— Cela fait huit dollars soixante-quinze.

Il lui tendit un billet de dix dollars et lui prit le sac des mains.

— Votre monnaie, monsieur!

Mais il était déjà sorti du magasin. Des jumeaux, pensa-t-il en prenant un coin de rue, à gauche. Grands, visage osseux, petites bouches. Des cheveux blonds coupés court. Des pattes qui leur descendaient au milieu de l'oreille. Dès qu'il leur eut tourné le dos, il s'arrêta devant la quincaillerie. Ils le suivaient.

— Ah! re-bonjour! dit gaiement le quincaillier en le voyant entrer.

— Je voudrais un couteau de chasse.

— Quel genre?

— N'importe quelle marque.

La porte de la boutique s'ouvrit dans un tintement de sonnette. L'un des deux types entra. Il jeta un coup d'œil à Reuben, puis se dirigea vers un éventaire de cannes à pêche qu'il se mit à examiner.

— Je ne veux pas parler de la marque, mais du format, dit le quincaillier. Vous le voulez avec une lame longue ou courte?

— Une lame droite, de douze centimètres de long, à double tranchant, avec une garde métallique entre le manche et la lame.

— Vu! fit le commerçant en plongeant sous le comptoir.

Le jumeau ne tripotait plus les cannes à pêche, mais le dévisageait ostensiblement.

— Que dites-vous de celui-ci? demanda le quincaillier

après avoir déposé un plateau de couteaux, sur le comptoir, dont il retira un couteau au manche de bois sombre, avec une lame étincelante à bout incurvé, garanti incassable.

— J'ai besoin d'une gaine pour le mettre.

— Elle est vendue avec. Je suis à vous tout de suite, monsieur.

— Oh! je regarde simplement, répondit le jumeau près des cannes à pêche.

Il suivit Reuben quand celui-ci paya et s'en alla. A présent, il n'y avait plus seulement son double, mais aussi un troisième type, habillé de la même façon qu'eux, plus grand, plus massif, avec une moustache et un fusil à lunette. Ils le suivaient de si près qu'il entra dans le premier bistrot venu. Derrière le grand comptoir en fer à cheval, il y avait une machine à *espresso,* des tartes meringuées dans une vitrine réfrigérée, et des hamburgers grésillant sur le grill. Des hommes en tenue de cow-boys consommaient au comptoir ou dans les boxes. Une vieille femme à bonnet blanc officiait près du grill.

— Un hamburger, je vous prie, dit Reuben en allant s'installer dans un des boxes.

— Trois cafés, entendit-il commander dans le box voisin.

Il s'en fallut de peu qu'il ne se retournât.

L'immobilier, pensa-t-il. Ce n'était que par lui qu'ils avaient pu retrouver sa trace. Une intuition avait dû les faire téléphoner à New York, et quelques-uns de leurs hommes étaient ensuite allés voir cet agent immobilier. Dieu sait ce qu'ils avaient dû lui faire pour l'obliger à parler! Il n'aurait jamais dû lui téléphoner.

Mais ils auraient quand même retrouvé sa trace. Ça leur aurait seulement demandé un peu plus de temps.

Son hamburger avait un goût de sciure.

— Ecoutez, dit-il en se mettant debout et se tournant vers eux, il me semble que ça suffit comme ça. Pourquoi vous acharnez-vous ainsi?

— Je ne comprends pas ce que vous voulez dire, lui répondit le moustachu au fusil à lunette.

— Bien sûr que si. Vous savez bougrement bien de quoi je veux parler et il faut que ça cesse.

L'homme le regarda en fronçant les sourcils, puis demanda aux jumeaux assis en face de lui :

— Vous savez de quoi il veut parler?

— Non, pas du tout, répondit l'un.

— Ni moi non plus, enchérit l'autre.

— Vous m'avez suivi. Vous me collez aux talons depuis que je suis sorti de chez le quincaillier.

— Le quincaillier? s'étonna le moustachu.

— Ah! oui, c'est juste, dit alors l'un des jumeaux. Maintenant que j'y repense, il était dans cette quincaillerie où je suis entré voir les cannes à pêche.

— Oh! bon dieu, arrêtez!

Tout le monde le regardait, la vieille femme des hamburgers tout particulièrement. On n'entendait plus aucun bruit, à l'exception du grésillement des hamburgers.

— Ecoutez, mon vieux, faut vous calmer, dit le moustachu. Je sais qu'il a fait très chaud ces jours-ci et vous avez sans doute des problèmes chez vous. Mais faut pas vous fâcher comme ça. Ce genre d'incident est désagréable pour tout le monde. Si vous pensez que nous vous suivons, venez en discuter dehors et laissons tous ces gens manger en paix.

— Non!

Il chancela contre la table, une main crispée sur son estomac.

— Non!

Il souhaita se montrer assez bon acteur car c'était la seule chance qui lui restait; s'il ne réussissait pas à les abuser, il était foutu.

Il se plia en deux, simula un hoquet, leva les yeux vers une plaque indiquant les W.C. et il s'y engouffra comme s'il avait peur de ne pouvoir tenir jusque-là, bousculant les battants de la porte avec son sac à dos. Grâce à Dieu, il aperçut, au bout du couloir, l'entrée de service qu'il espérait et, calant son sac à dos d'un coup d'épaule, se précipita vers elle en priant le ciel qu'elle ne fût pas fermée à clef. Il tourna la poignée, la porte s'ouvrit et il se rua dans une venelle encombrée de poubelles qui donnait sur la rue.

4

— Claire! appela-t-il, hors d'haleine, en haut de la côte qui menait au chalet. Il trébucha, tomba mains en avant, son visage se plaqua sur l'herbe; il sentit, dans sa bouche, un goût de terre mêlé à celui de la sueur qui perlait de ses lèvres.

Il n'avait guère de temps.

Il était certain d'avoir semé les trois types, après avoir zigzagué dans un tas de rues, et s'être enfui de la ville à travers champs. De toute évidence, ils ignoraient où il habitait, sans quoi ils seraient venus directement là au lieu de continuer à le chercher en ville. Ils n'avaient donc le choix qu'entre deux solutions : ou circuler dans leur voiture jusqu'à ce qu'ils le repèrent, ou bien poser des questions en ville, au quincaillier, dans les agences immobilières. La première solution était trop lente et hasardeuse; c'était donc la seconde qu'ils adopteraient. Par conséquent, dans un quart d'heure, trente minutes au maximum, ils seraient là.

Il appela de nouveau Claire en se hâtant vers la maison. Dans sa chute, il avait dû s'entailler la lèvre supérieure. Il vit Sarah qui courait vers lui.

— Où est ta mère? parvint-il à articuler. Il était à bout de souffle.

— Dans la maison.

— Ecoute, je n'ai pas le temps de t'expliquer, mais couche-toi à plat ventre. Et surveille la route.

Il avait la poitrine en feu. Son cœur battait à grands coups.

— Dès que tu vois quelqu'un, appelle-moi de toutes tes forces.

Elle allait dire quelque chose, mais il l'interrompit :

— Ne pose pas de questions. Fais simplement ce que je te dis.

Il la fit s'étendre par terre, puis repartit vers le chalet en courant. Claire apparut dans l'encadrement de la porte.

— Mon Dieu! Ne me dis pas que...

— Ils sont trois. En ville. Ils seront bientôt là. Il faut faire nos paquets, et filer.

— Tu es sûr que... ?

— Absolument.

S'étant débarrassé du sac à dos, il en sortit le ceinturon-cartouchière qu'il boucla autour de ses hanches. Il s'assura que le Magnum était chargé avant de le glisser dans l'étui. Puis il passa le couteau dans sa gaine, autour du ceinturon.

— O.K., dit-il à Claire. Maintenant, remplis mon sac à dos et le tien. Je vais seller les chevaux. Emporte aussi les couvertures des lits.

— Papa! Y a quelqu'un qui vient!

Claire et lui se regardèrent.

— Je te retrouve à la lisière du bois, dit-il à Claire.

Faisant demi-tour, il courut rejoindre Sarah qui, debout, pointait le doigt en direction de la route :

— Quelqu'un vient! Quelqu'un vient!

— Couche-toi par terre! dit-il en la plaquant au sol. Il rampa jusqu'au sommet de la côte.

Oui, c'étaient bien eux : les mêmes trois types avec leurs chemises à carreaux, leurs jeans et leurs vestes de l'armée. Ils étaient sur le chemin en pente qui, à travers les arbres, menait au chalet. Mais le moustachu n'était plus le seul à être armé... Regardant avec plus d'attention, Reuben réalisa qu'il n'y avait pas de moustachu, pas non plus les deux jumeaux parmi ces trois-là... L'un avait une figure toute ronde, un autre était trapu... Seigneur! ce n'étaient pas les mêmes hommes! C'était un autre commando. Ils étaient si sûrs d'eux qu'ils avançaient sans se cacher, comme à la parade.

Peut-être que les trois autres étaient cachés dans les bois, derrière le chalet.

— Va vite rejoindre ta mère, dit-il à Sarah. Elle t'attend dans le bois.

Mais elle ne bougeait pas. Il comprit qu'en la faisant tomber par terre il lui avait coupé le souffle. Il l'aida à se remettre debout, après quoi, en se tenant le ventre, elle partit en courant derrière le chalet. Reuben rentra à l'intérieur. Il gravit le petit escalier menant à la tourelle, le seul endroit d'où il pût voir distinctement les assaillants. Il devait créer une diversion, freiner leur progression, leur faire croire qu'il se préparait à soutenir un siège. Dès qu'il fut dans la tourelle, il s'embusqua dans un angle de la fenêtre ouverte, et fit feu trois fois sans viser. Il les vit se disperser et tira encore une fois avant de quitter la tourelle. Il entendit alors un tir d'arme automatique, cependant que volait en éclats la fenêtre où il était posté.

Il faillit tomber dans l'escalier, traversa la cuisine en courant, sortit par la porte de derrière. Claire l'attendait avec Sarah, à l'orée du bois.

— Ces coups de feu...

— C'était moi. Ne t'inquiète pas.

Reuben prit les sacs à dos tandis que Claire se chargeait des sacoches de selle. Sarah courait devant eux. Il faisait frais sous les arbres. Les feuilles mortes formaient une litière sur le sentier. Ils forcèrent l'allure. Une pensée obsédait Bourne : « Ils vont deviner que nous nous sommes enfuis dans les bois. » Mais il n'y avait rien d'autre à faire. Après avoir peiné en escaladant une côte, après le sentier, ils débouchèrent dans une clairière ensoleillée.

Leur arrivée effraya les trois chevaux qui reculèrent nerveusement au fond du corral. Reuben avait découvert cet endroit le second jour de leur installation au chalet.

C'était un petit corral, avec une barrière en troncs d'arbres, un abreuvoir, des mangeoires et une baraque croulante. C'est là que l'ancien propriétaire du chalet devait parquer ses chevaux pendant la saison de la chasse. C'est aussi la découverte de cet endroit qui avait donné l'idée à Reuben d'acheter des chevaux. Le lendemain il avait initié Claire et Sarah au peu de pratique qu'il avait, lui-même, de l'équitation. Mais ce qu'il en savait suffirait. Il avait finalement persuadé le vieux du ranch de lui vendre un des bais, au lieu de l'alezane boiteuse, et avait feint d'avoir dû acheter le *pinto* à contrecœur alors qu'il en était secrètement ravi car ce petit cheval conviendrait parfaitement à Sarah. Quant à l'indien, s'il était borgne, ça ne l'empêcherait pas d'aller bon train, et Reuben était convaincu d'avoir trouvé là un cheval parfait pour lui.

— Aide-moi pour les selles, dit-il à Claire, en se débarrassant des sacs. Il ouvrit la porte de la baraque.

Claire posa les sacoches. Elle l'aida à transporter les harnachements. Sarah faisait exactement ce que son père lui avait appris, les jours précédents : ayant escaladé la barrière du corral, elle s'employait à rabattre les chevaux du côté de la baraque. Tout en s'assurant que sa fille exécutait bien cette manœuvre, Reuben prit les rênes et sauta dans le corral. Il commença par le *pinto,* lui glissant un mors dans la bouche, passant le licol par-dessus ses oreilles et réglant la boucle. Il posa une couverture pliée, en guise de tapis de selle, sur le dos du cheval, y installa la selle et la fixa, après quoi il passa au cheval suivant, le bai, tandis que Claire s'occupait d'attacher deux sacoches sur le *pinto.*

Nous n'allons pas assez vite! pensait Reuben. Ils vont être là d'une minute à l'autre!

Il accéléra, au maximum, le harnachement des chevaux. Lorsque vint le tour de l'indien, celui-ci se montra récalcitrant, et Reuben dut s'employer à le calmer.

— Je les entends, ils arrivent! dit Claire.

Elle avait raison. Les arbres, au-dessous d'eux, se renvoyaient l'écho de pas d'hommes qui se hâtaient en faisant crisser les feuilles mortes.

— Ouvre la barrière, dit-il à Sarah tandis qu'il aidait Claire à passer son sac à dos et à monter sur le bai.

— Allez, va! cria-t-il en administrant une claque sur la croupe du bai, qui partit au galop, manquant faire choir Claire.

Il hissa ensuite Sarah sur le *pinto*. Il lui recommanda de bien se tenir avant de le mettre au galop par le même moyen. Quand, chargé de son propre sac à dos, il enfourcha l'indien, le bruit des pas d'hommes était devenu si proche que Reuben piqua des deux à fond de train, passant si près du montant droit de la barrière qu'il faillit s'estropier la jambe.

Ca-rack... La balle lui avait sifflé aux oreilles. Il éperonna l'indien presque sauvagement, sous le coup de la peur. Il sentait son étui de revolver qui lui battait la jambe. Claire et Sarah galopaient à travers les arbres. Il les vit comme dans un rêve. Une seconde détonation retentit. Une violente poussée dans le dos faillit le faire chuter. Il se coucha davantage sur l'encolure de l'indien, tout en pensant « Tu n'es pas touché... » Son sac à dos avait dévié la trajectoire de la balle. L'instant d'après, il se retrouva galopant derrière Claire et Sarah. Il y eut encore une troisième détonation. Un bruit mat contre un des arbres, derrière lui. Mais ça n'avait plus d'importance. La densité des arbres, à cet endroit du bois, ne permettait plus à leurs poursuivants de les atteindre.

La lumière changea d'un coup. Bourne leva les yeux entre les branches nues. Le soleil était en train de basculer derrière les montagnes sur sa droite, baignant la forêt d'un halo rouge. Dans une demi-heure, ce serait le crépuscule; une heure encore, et il ferait nuit. Ils devaient galoper tant que ce serait possible. Très vite, la pente devint raide, de plus en plus escarpée, et il dut se cramponner au pommeau de la selle. L'indien suait de l'écume, sous l'effort. Il finit par rejoindre Claire et Sarah qui avaient bien suivi ses conseils : galoper le plus haut possible dans la montagne, sans perdre une seconde.

Ils atteignirent une paroi rocheuse clairement indiquée sur la carte, puis un étroit défilé encombré de pierres, de schistes et de troncs d'arbres pourris. C'était l'unique passage à travers la montagne, l'autre voie se trouvant trente kilomètres plus loin, sur la droite. Puis ils firent halte et descendirent de cheval. Le soleil avait presque totalement disparu derrière les montagnes. La lumière devenait grise, le vent glacial. Leurs yeux pleuraient tellement le vent était froid. Reuben considéra le défilé qui, devant eux, s'étendait sur environ quatre cents mètres.

— Mon chandail, dit-il à Claire. Dans mon sac. Sarah et toi, mettez aussi les vôtres.

C'était un chandail de grosse laine marron, avec un capuchon. Claire et Sarah avaient les mêmes. Il les avait choisis de façon à ce qu'ils se confondissent aux couleurs de l'automne, dans la montagne. Après avoir enfilé son chandail, il sentit un vivifiant afflux de chaleur sur son corps. Puis il tira l'indien par la bride et s'engagea dans le défilé, avec d'infinies précautions, pour en contourner tous les obstacles. Il glissa, s'érafla le visage contre une pierre. Il se redressa et regarda derrière lui pour s'assurer que Claire et Sarah n'avaient pas trop de difficulté à le suivre. Claire se comportait bien, mais elle n'avançait pas vite, à cause de Sarah qui, en plus de la fatigue, avait tout le mal du monde à tenir le *pinto* par la bride.

— Papa, j'y arrive pas!

— Tu *dois* y arriver. Prends ton temps.

Quand elle les eut rejoints, il se remit en marche, sans cesser de se retourner pour le cas où quelqu'un aurait surgi du couvert des arbres. Non, personne. En avant. Le défilé paraissait interminable.

Continuer d'avancer.

— Papa!

Il se retourna. Sarah, exténuée, s'appuyait contre la paroi.

— Ne t'arrête pas. Continue d'avancer. Nous sommes presque arrivés.

Ce n'était pas vrai. Mais il devait l'aider.

Petit à petit, elle se détacha de la paroi rocheuse, eut des difficultés. Soudain, le *pinto* se cabra. Fort heureusement, la fillette tomba entre deux rochers, hors d'atteinte des sabots qui battaient l'air tandis que le cheval ruait dans l'étroit passage pour faire volte-face.

— Ne bouge pas! cria Reuben en attachant l'indien à un piton rocheux. Ne bouge pas! Rentre tes jambes!

Il courut vers sa fille. Il se cogna douloureusement l'épaule contre une souche qui obstruait le passage. Il parvint quand même à maîtriser l'animal, s'employant à le calmer : « Doucement, doucement! Là! »

— Ça va maintenant, tu peux venir, dit-il à Sarah.

Terrifiée, épuisée, elle pleurait à chaudes larmes. Il comprit qu'il n'aurait jamais dû lui donner la charge de son cheval; c'était miracle qu'elle eût avancé jusque-là.

— Laisse ton cheval. Tu vas venir avec moi, dit-il en la prenant par la main, avant d'ajouter à l'intention de Claire : Attache le bai et amène le *pinto*. Je reviendrai le chercher dès que nous serons sortis de là.

N'ayant pas le temps de consoler Sarah, il se borna à sécher ses larmes et l'embrassa. Après quoi, il l'emmena jusqu'à l'endroit où il avait attaché l'indien et lui dit de continuer seule. Claire arrivait avec le *pinto*. Le bai parut tout désemparé qu'on l'abandonnât ainsi.

Peut-être parce qu'elle avait peur, Sarah atteignit bien avant eux le sommet de l'étroit défilé. Pour qu'elle ne restât pas trop longtemps seule, Reuben tirait de toutes ses forces sur les brides, pour que les chevaux pussent passer malgré les obstacles. En haut, le vent soufflait et ce n'était qu'herbe rase avec des arbres à perte de vue. Sarah s'était assise contre un sapin, essoufflée, le visage blême, les cheveux en désordre. Il lui caressa le front avant d'attacher son cheval. Il se défit de son sac à dos, et comme Claire atteignait à son tour la sortie du défilé, il lui fit signe de prendre soin de Sarah. Puis il redescendit chercher le bai, craignant de voir les chemises rouges de ses poursuivants apparaître à l'entrée du défilé.

Non, se raisonna-t-il. La nuit tombe. Ils iront d'abord chercher des chevaux. Ils ne vont pas tenter de nous poursuivre à pied.

Mais la peur ne le lâchait pas. Il remonta le plus rapidement possible, avec le bai. Quand il les rejoignit, Claire et Sarah étaient en train de se restaurer. Il eut à peine la force d'attacher le bai puis se laissa tomber à côté d'elles. Au menu, des barres de chocolat fourrées de caramel. En temps normal, il eût trouvé ça plutôt écœurant, mais il était si fatigué, si affamé qu'il ne sentit même pas le goût sucré du caramel, mordant, mâchant, avalant, mordant de nouveau.

— Nous nous en sommes sortis! Je n'arrive pas à y croire!

En réalité, il ne s'illusionnait pas. Ce n'était que le premier pas et, s'ils devaient jamais s'en tirer, ils devraient encore grimper, longtemps, plus vite et toujours plus haut.

Sarah voulut prendre une autre barre de chocolat. Il l'en empêcha doucement :

— Mieux vaut les économiser, ma chérie. Nous en aurons encore besoin.

Il y avait du sang sur ses mains. Tout à l'heure, il s'était égratigné contre les rochers. Il les essuya sur l'herbe. Puis il se leva et marcha jusqu'au bord de la falaise. Il regarda la clairière, là-bas, juste à la limite des arbres.

Personne.

— On repart! dit-il.

— Déjà? s'exclama Claire. Mais nous venons tout juste de nous asseoir!

Le soleil venait juste de disparaître derrière les montagnes, mais il ne faisait pas encore nuit.

— Nous allons marcher encore une demi-heure environ, jusqu'à ce que l'obscurité nous oblige à faire halte.

Il sortit la carte de son sac pour se repérer.

— Il y a un ruisseau là-haut, après ces arbres. Essayons d'arriver jusque-là.

Une rafale de vent fouetta l'herbe autour d'eux. Reuben leva les yeux. Des nuages noirs s'amoncelaient au-dessus d'eux.

— Il se pourrait bien que nous ayons de l'orage.

Ils repartirent à pied. Les chevaux étaient fatigués. Ils s'enfoncèrent dans les sous-bois. Puis ce fut la nuit.

5

Tout d'abord, il crut avoir mal lu la carte. Ils avaient certainement couvert la distance indiquée, mais il n'y avait aucune trace de ruisseau. La nuit s'épaississait autour des arbres aux branches dépouillées. Ils s'étaient arrêtés dans une petite clairière, parfaite pour bivouaquer. Derrière un rideau de sapins, une seconde clairière longeait celle-ci, avec assez d'herbe pour y faire brouter leurs chevaux. Même si cette herbe maigre ne les nourrissait pas beaucoup, ce serait toujours ça, et il ne serait pas obligé de puiser dans le petit sac d'avoine qu'il avait attaché en avant de la selle, sur l'indien.

Obscurité totale. Bourne décida qu'ils se passeraient d'eau pour cette nuit. Puis, miracle, il l'entendit! ce n'était qu'un murmure, un chuchotement liquide. Il s'approcha de l'endroit où la clairière formait une déclivité. Oui, c'était bien le ruisseau. Reuben s'accroupit, se pencha et rinça ses mains avant de porter à sa bouche un peu de cette eau glacée.

— On peut la boire, tu crois? demanda Claire.

Il goûta l'eau. Oui, elle était bien comme il l'espérait : douce, froide et pure. Il en but plusieurs gorgées :

— A cette altitude, l'eau est presque toujours potable,

dit-il. C'est de l'eau courante. Elle ne fait pas d'écume en surface. C'est surtout au printemps qu'il faut faire attention, car la fonte des neiges charrie des algues rouges dans les ruisseaux. C'est un truc qui donne des crampes si horribles que l'on se croit à l'article de la mort.

Il se rappelait ça, pour l'avoir écrit dans un de ses thrillers. Cette réminiscence le fit presque sourire.

— Viens, goûte-la. Toi aussi, ma chérie.

Elles n'osaient pas boire.

— Oui, je comprends que cela vous fasse une drôle d'impression. Mais ça n'a rien à voir avec les ruisseaux de la vallée, dont moi-même je ne boirais pas une goutte. Celle-ci, vous pouvez la boire sans crainte, croyez-moi.

Comme elles ne bougeaient toujours pas, il s'étendit à plat ventre et plongea son visage dans l'eau. Quand il se redressa, en secouant ses cheveux trempés, il les vit qui buvaient aussi.

— Elle a pas le même goût que d'habitude, dit Sarah.

— Non, bien sûr, elle n'est pas javellisée. C'est de l'eau pure.

— Mais elle est sale, papa! Je sens quelque chose qui croque entre mes dents! dit Sarah en recrachant une gorgée.

— C'est juste un peu de limon, rien de mauvais, rassure-toi. Bois-en pour t'y habituer. C'est la seule eau que tu auras pendant quelque temps, que ça te plaise ou non. Alors, mieux vaut t'y faire tout de suite.

— Mais d'où vient-elle?

— De quelque part, là-haut... de neiges fondues ou d'un lac.

Il ajouta pour la distraire :

— Tu vas voir des choses que tu n'as encore jamais vues.

— Elle a un petit goût sucré, on dirait...

— Tu vois, tu t'habitues. Maintenant, viens. Nous avons des choses à faire.

Il les guida entre les arbres jusqu'à la clairière qui, dans l'obscurité, lui parut plus grande.

— Tiens, dit-il à Sarah en lui tendant trois bidons attachés aux selles. Va les remplir dans le ruisseau.

— Pourquoi ne les as-tu pas remplis avant? demanda Claire.

— Parce que je ne voulais pas trop charger les chevaux et que j'étais sûr que nous trouverions quantité d'eau par ici. D'ailleurs, à rester si longtemps dans les bidons, elle aurait pris un mauvais goût. Qu'est-ce que tu attends? demanda-t-il à Sarah.

— J'ai peur.

— De retourner là-bas toute seule?

Elle fit oui de la tête.

— Tu n'as aucune raison d'avoir peur. Si quelqu'un vient, tu l'entendras approcher de loin et tu auras tout le temps de nous rejoindre.

— Mais les bêtes?

— Tu les entendras aussi. D'ailleurs, par ici, il n'y a que des orignaux ou des daims. A cette époque de l'année, les ours ont pris leurs quartiers d'hiver. Ne crains rien, allez! Chacun doit faire sa part de travail.

Sarah partie, Reuben s'occupa de défaire les sangles de l'indien.

— Ote la selle des deux autres, dit-il à Claire. Elles nous serviront d'oreillers.

— Et un feu? Il faut faire un feu.

— Non, trancha-t-il en se tournant vers elle. Pas de feu tant que nous ne sommes pas absolument obligés d'en faire.

— Mais pour cuisiner?

— Pas de cuisine. Du moins, pas ce soir. Demain matin, si nous avons le temps de faire un feu qui ne fasse pas trop de fumée, oui, peut-être. Mais pas cette nuit. Ils ont déjà dû se procurer des chevaux, et un feu, dans la nuit, risquerait de nous faire repérer.

Ils échangèrent un long regard.

Le *pinto* tirant trop sur sa bride, Claire alla s'occuper de lui.

— Qu'est-ce que tu veux manger? lui demanda-t-elle.

— Je crois que nous n'avons guère de choix?

— Non, en effet.

Après avoir desserré les sangles, Claire porta gauchement la selle du *pinto* jusqu'au pied d'un arbre. Sarah revint avec les trois bidons remplis.

— Aide ta mère, lui dit-il.

Prenant un rouleau de corde dans le sac, Reuben s'occupa d'entraver les chevaux dans la seconde clairière, après les avoir menés boire dans le ruisseau.

La lune allait paraître. Bourne ne la voyait pas encore, mais il décela un changement dans la nuit, une sorte de luminescence glacée qui gagnait l'horizon. A proximité, quelques grillons avaient commencé leurs stridulations. Reuben ne parvenait pas à croire que des grillons puissent encore vivre à cette altitude et par ce froid. Il respira profondément.

Il rejoignit Claire et Sarah. Son haleine se mua en vapeur, preuve qu'il faisait en effet très froid.

— Vous ne mangez pas? leur dit-il.

Elles étaient assises sur l'herbe, adossées à leurs selles. Dans l'obscurité, leurs visages ne lui apparaissaient que comme de vagues blancheurs.

— Nous t'attendons, dit Claire.

— Encore une minute et j'arrive!

Il retourna au ruisseau pour y remplir deux bidons. Il constata avec satisfaction que les chevaux étaient paisibles.

— Plus qu'une chose encore à faire! leur annonça-t-il.

— Et quoi d'autre, encore? rétorqua Claire.

— Je sais que tous ces préparatifs peuvent paraître interminables, mais lorsque nous en aurons pris l'habitude, ça ira beaucoup plus vite.

— Bon... Qu'est-ce qu'il faut faire encore?

— Aller au petit coin.

— Oh! Papa.

Il n'aurait su dire si Sarah était gênée ou pensait simplement qu'il voulait être drôle.

— Venez et écoutez-moi, leur dit-il. C'est important.

Il marcha vers l'extrémité de la clairière et les attendit sous les premiers arbres.

— Faire pipi ne pose aucun problème, reprit-il quand elles le rejoignirent.

— Peut-être pas pour toi : tu n'as qu'à te tenir debout derrière un arbre, mais, pour nous, c'est un peu plus compliqué, dit Claire.

— Je sais, mais laissez-moi vous expliquer.

Un bruit. Il tourna brusquement la tête. Quelque chose faisait crisser les feuilles mortes. Un raton laveur sans aucun doute, ou un blaireau. Rien d'inquiétant. Détends-toi, bon sang! se dit-il, mais il resta à épier les ténèbres avant de se tourner de nouveau vers ses compagnes.

— Comme je le disais, faire pipi ne pose aucun problème, à condition que vous n'alliez pas vous soulager du côté du ruisseau. C'est son eau que nous boirons, et si l'urine s'y infiltrait, nous n'en trouverions pas le goût bien agréable, sans parler des risques de pollution. Choisissez donc une pente qui descende en sens opposé. Pour vous essuyer, je vous suggère des feuilles d'arbres qui ne soient pas trop sèches. Si les feuilles ne vous inspirent pas, vous n'aurez qu'à vous laver.

« Donc, ça, c'est assez simple. Ce qui l'est moins, c'est de faire le reste. Nous devrons choisir un endroit éloigné de notre campement. D'abord, vous faites un trou dans la terre, avec une grosse pierre, ensuite, vous recouvrez le trou avec de la terre. Nous pouvons soit nous servir de feuilles, soit nous laver. Mais nous devons aller à la selle chaque jour, rincer nos vêtements chaque fois que nous en aurons le temps, et manger même si nous n'avons pas faim. Si j'insiste sur ces détails gênants, c'est que c'est nécessaire. Il y aura des jours où vous vous sentirez si fatiguées et sales que vous n'aurez d'autre envie que de rester couchées par terre. Mais il faut maintenir un maximum d'hygiène, c'est une question de survie.

Après ce petit laïus qui l'avait autant embarrassé qu'elles, il leur dit gaiement pour dissiper la gêne :

— Qui a faim?

— Moi, dit Sarah, avec une toute petite voix à peine audible.

— Allons, allons manger. Que diriez-vous d'un comprimé de vitamines pour dessert?

Sa plaisanterie n'était pas amusante. Sarah et Claire ne sourirent même pas.

6

Ils mangèrent du « corned beef » et des pêches en conserve, dont ils se partagèrent le sirop, tout en buvant beaucoup d'eau. Comme ils ne disposaient que d'une couverture chacun, ils se roulèrent dedans et se serrèrent les uns contre les autres pour avoir plus chaud, Sarah couchée entre ses parents. Au cours de la nuit, la fillette se réveilla en disant : « J'ai froid. » Reuben lui parla doucement jusqu'à ce qu'elle se rendormît.

Peu avant l'aube, ils furent tirés du sommeil par le chant des oiseaux. Lorsque Reuben alla voir les chevaux, il s'aperçut que deux d'entre eux avaient emmêlé leurs longes, mais heureusement sans se blesser. Il les mena boire au ruisseau, leur donna à chacun de l'avoine dans son chapeau, puis les sella. Il estima finalement qu'ils n'avaient pas le temps d'allumer un feu pour cuisiner. Après leur toilette, ils repartirent. Ils redéjeunèrent sans descendre de leurs chevaux : du « corned beef » — encore —, des biscuits et un peu de chocolat.

Plus tard, nous nous arrêterons quelque part et nous nous ferons cuire un vrai repas, dit Reuben.

Mais c'était un mensonge, car il n'avait qu'une idée :

les faire avancer pour fuir le plus loin possible. Chaque fois qu'ils débouchaient en terrain découvert, ils piquaient un petit galop, mais sans forcer les chevaux, les laissant aller au train qui leur convenait, puis reprenaient le trot une fois à l'abri des sous-bois. Huit heures. Le soleil était déjà haut, à l'est, et assez chaud pour sécher l'humidité de leurs vêtements. Neuf heures. Ils marchèrent en tenant les chevaux par la bride. Neuf heures un quart. Ils remontèrent en selle. Leur progression devenait monotone : trois quarts d'heure à cheval, un quart d'heure à pied, en alternance. A midi, ils s'arrêtèrent pour reposer les chevaux.

— Voilà où nous serons ce soir, dit Reuben à Claire et Sarah en leur montrant un point sur la carte. Ce point représentait un lac. Puis il leur indiqua du doigt une longue pente couverte de sapins, entre deux escarpements rocheux.

— Il ne faudra pas lambiner en chemin, dit-il à Claire. Mais je crois que nous pourrons y arriver. Et comme il y a une demi-douzaine de lacs dans le secteur, nous avons une chance de ne pas nous faire repérer.

Il venait d'entendre un vrombissement continu de moteur. Après avoir regardé en bas de la montagne, il aperçut au-dessous d'eux, le miroitement des pales d'un hélicoptère.

— Ce sont eux? lui demanda Claire. Eux qui nous cherchent?

— Peut-être. Je n'en sais rien. Il peut tout aussi bien s'agir d'un hélicoptère des Eaux et Forêts en patrouille. Ça peut être n'importe qui. Mais si ce sont eux, ils ne risquent pas de nous repérer aujourd'hui : ils ont plusieurs kilomètres carrés de montagne à explorer. D'après moi, ils préféreront nous rechercher à cheval.

— Tu es sûr qu'ils vont nous donner la chasse?

— Au chalet, ils ont pris tout leur temps. Leur but est peut-être moins de nous rattraper que de nous obliger sans cesse à fuir.

— Tu crois que, s'ils nous retrouvaient, ils nous laisseraient encore filer?

— Je ne sais pas. C'est possible. Toutefois, il va bientôt se mettre à neiger et comme nous poursuivre présentera moins d'agrément pour eux, ils voudront sans doute en finir au plus vite, pour déguerpir d'ici.

Le bourdonnement de l'hélicoptère se rapprochait.

— Il vaut mieux repartir, dit Bourne en éperonnant l'indien.

Claire et Sarah suivirent le mouvement. A présent, des sapins se mêlaient aux cornouillers et aux trembles défeuillés, ce qui constituait un meilleur écran de protection pour les fugitifs. Dans quelques heures, ils atteindraient une zone de sapins, si grande et si dense que même un hélicoptère ne pourrait pas les repérer, même en les survolant.

Ils aperçurent un ruisseau devant eux. Ils s'y arrêtèrent pour faire boire les chevaux.

— Et si nous marchions maintenant dans le lit du ruisseau, pour ne pas laisser de traces? suggéra Claire.

— Ça ne servirait à rien. Le fond du ruisseau est trop mou et le courant pas assez rapide. Trois chevaux y laisseraient des empreintes qui mettraient bien un jour ou deux à s'effacer. Ce qu'il aurait fallu, c'est trouver un ruisseau au cours plus rapide, avec un fond de gravier. Mais, de toute façon, ça ne ferait que les retarder un peu, car il leur suffirait de suivre les deux berges jusqu'à ce qu'ils repèrent l'endroit où nous serions sortis du ruisseau.

Bourne éprouva une impression de dédoublement.

Le ruisseau obliquait vers la droite et il le suivit. Il savait qu'on n'allait pas tarder à lancer des chiens à sa poursuite, mais il ne se donna même pas la peine de marcher dans l'eau pour leur faire perdre sa trace. Cela n'eût réussi qu'à les retarder un peu puisque, tôt ou tard, il aurait été contraint de reprendre pied sur l'une ou l'autre berge. L'homme qui menait les chiens n'aurait qu'à diviser la meute pour que les chiens suivent le ruisseau sur les deux berges et finissent par retrouver sa trace. Comme l'eau eût ralenti son avance, cette manœuvre n'aurait été qu'une perte de temps.

Il était déjà venu par là, avait déjà dit cela.

Non, il l'avait écrit. Et dans son histoire, il y avait aussi un hélicoptère. Dès ce moment, il eut la certitude que l'hélicoptère n'appartenait pas aux Eaux et Forêts. Il poussa brusquement son cheval pour monter plus haut et plus vite sous le couvert des arbres, criant à Claire et Sarah de faire comme lui. Il dut se baisser pour passer sous une branche basse, se redressa. Parvenu au sommet de la côte, il retrouva un peu son sang-froid.

— Qu'est-ce qui s'est passé? lui cria Claire, qui le rejoignit.

— Rien. J'ai cru voir quelque chose, mais ce n'était rien.

A présent, il n'y avait plus que des sapins, épais, serrés, les uns contre les autres. Les sabots des chevaux ne faisaient plus crisser les feuilles mortes, mais étouffaient leur bruit sur un épais tapis d'aiguilles de pins.

— Finalement, nous n'irons pas à ce lac, dit-il à Claire, avec le sentiment d'avoir déjà prononcé ces mêmes mots. Si ce sont eux qui sont dans cet hélicoptère, il leur sera trop facile de trouver près de chacun des lacs un endroit où atterrir. Et ils ne seraient pas longs à nous repérer.

— Alors, où allons-nous?

— Tout en haut, vers l'ouest. D'après la carte, il y a là un autre ruisseau.

— Mais je veux voir le lac! dit Sarah.

— Je sais. Moi aussi, je voudrais voir le lac. Mais il vaut mieux aller ailleurs, pour le moment. Un lac, c'est trop voyant, tu comprends? Il ne faut pas que nos poursuivants nous retrouvent. Ne t'en fais pas : tu en verras des lacs. Beaucoup même! Mais pas tout de suite.

7

Ce ruisseau-là était parfait. C'était d'ailleurs presque une rivière, car il était large, rapide et profond. Cascadant entre une saillie de rochers, il descendait en torrent dans un bassin naturel, d'où il débordait pour continuer vers le bas. Ils l'atteignirent une heure avant la tombée du jour, ayant d'abord perçu ses grondements avant de le découvrir à la sortie d'un épais taillis d'arbres.

Déjà descendue de son cheval, Sarah se précipita au bord du bassin. Reuben la retint :

— Attends!

Elle se retourna et le regarda.

— *On travaille d'abord,* ma chérie. Ces chevaux sont bien plus fatigués que toi. Ils ont besoin qu'on s'occupe d'eux. Ils ne peuvent le faire tout seuls. Alors, tu vas nous aider et, ensuite, nous aurons peut-être le temps d'aller batifoler dans l'eau.

Après un dernier regard au bassin, la fillette s'en revint lentement vers ses parents.

— Autre chose : étant donné la façon dont tu as accroché les rênes à cette branche, ton cheval pourrait s'échapper en un rien de temps. S'il s'était enfui sous les arbres, nous aurions pu passer toute la nuit à le chercher. Je te l'ai dit hier soir. Il faut faire attention à tout ce que tu fais.

Boudant son père, Sarah attacha plus solidement les rênes du *pinto.*

— Va remplir les bidons. Ensuite, tu aideras maman.

Elle s'exécuta sans lui adresser un regard. Il dessella les chevaux, les fit boire, leur donna ce qui restait d'avoine, puis les mit à l'attache pour la nuit.

— O.K., fit-il en rejoignant sa fille et lui effleurant l'épaule. Maintenant, occupons-nous de nous.

Mais elle ne fit aucun mouvement pour venir avec lui, et il dut la tirer par le bras.

— Toi, écoute-moi bien, dit-il en lui prenant le menton pour l'obliger à le regarder. Lorsqu'on te reprend, encaisse avec bonne humeur. Pas de bouderie. Je passe l'éponge, mais la prochaine fois, souviens-toi de ce que je t'ai dit. D'accord?

Elle hocha lentement la tête.

— Parfait. Maintenant, viens. Allons nous baigner.

Il s'assit au bord du bassin, retira ses bottes et ses chaussettes, et, à sa grande joie, Sarah se décida enfin à le rejoindre.

8

— Papa, j'ai mal.

Il était à la maison. C'était juste après la mort d'Ethan. Le médecin leur avait donné des pilules à prendre et il se revoyait se précipitant vers Sarah, et lui demandant : « Comment ça, mal? », à quoi elle avait répondu : « J'ai envie de vomir. »

Seulement, il n'était plus à la maison.

Transi de froid, il était roulé dans sa couverture, au bord de la clairière, près du torrent, et quelqu'un le secouait, en répétant : « Papa, j'ai mal! » Il rouvrit les yeux. Il la vit s'écarter de lui, une main plaquée sur la bouche, et courir vomir derrière un arbre. Il la rejoignit aussitôt et lui tint le front.

— Qu'a-t-elle? demanda Claire qui s'était réveillée.

— Je ne le sais pas encore.

Sarah faisait des efforts pour vomir, mais rien ne venait. Reuben lui massa le ventre.

« Papa », gémit-elle. Les spasmes devinrent convulsifs et, cette fois, elle put vomir un mince filet de bile. Elle s'effondra dans l'herbe, les bras noués autour de son ventre, continuant de gémir.

— Chhhut! Calme-toi, ma chérie. Ce n'est rien.

Cela aussi, il l'avait déjà dit; il ne savait plus très bien ce qui lui arrivait. Il s'agenouilla près de sa fille, posa une main sur son front moite et glacé, sentant son cœur battre à grands coups.

— Quelque chose qu'elle a mangé? suggéra Claire. Nos conserves étaient peut-être avariées?

— Non, nous avons tous mangé la même chose et, d'ailleurs, elle l'a digéré, puisqu'elle vomit seulement de la bile.

— Mais qu'est-ce qu'elle a, alors?

— Je pense que c'est l'altitude.

— Que c'est quoi? Je ne comprends pas.

— Le mal des hauteurs. Elle est plus petite que nous et réagit plus vite. Cette escalade pour franchir le défilé l'autre soir a dû l'épuiser plus que je ne pensais.

— Je ne comprends toujours pas...

— Le sel. Son organisme a brûlé tout son sel. Il n'y en a pas assez dans ce que nous mangeons.

A genoux dans l'herbe, la fillette murmura : « Papa! » puis vomit encore la bile. S'agenouillant près d'elle, il l'étreignit affectueusement : « Ce ne sera rien. Rassure-toi. Ça va passer. A cette altitude, expliqua-t-il à Claire, l'air n'est pas le même. L'effort est plus pénible et l'on transpire davantage. Il faut absorber du sel pour conserver l'eau qu'on a dans le sang, sinon la transpiration nous déshydrate. On a beau boire beaucoup, ça n'y change rien : faute de sel, on ne conserve pas l'eau dans son corps.

— Mon dieu! Tu veux dire qu'elle va mourir?

Il leva vivement la tête, lui faisant comprendre que Sarah pouvait entendre.

— Pas si j'y peux quelque chose! Vite, emmenons-la d'ici. Tiens-la pendant que je selle les chevaux.

Tout en s'activant autour des chevaux, il était obsédé par l'idée du sel. « Il faut absolument que je lui trouve du sel. Pourquoi n'ai-je donc pas pensé à emporter du sel? »

9

Un cadenas fermait la porte de la cabane. Couché à plat ventre, il en observait les abords. Le volet de la fenêtre jouxtant la porte était fermé. Il y avait un corral, à gauche de la cabane, ainsi qu'une écurie, elle aussi fermée par un cadenas. L'endroit semblait inoccupé depuis un certain temps.

Il rampa à reculons, ne se remettant debout que lorsqu'il fut sûr qu'on ne pouvait le voir d'en bas. Il marcha, alors, à travers les arbres, s'arrêtant de temps à autre pour s'assurer qu'il ne risquait rien. De loin, il étudia le terrain, autour de la cabane. Rien. Aucun signe d'une quelconque présence.

Il décrivit un large mouvement tournant, sous les arbres, afin de dissimuler son approche. Il regardait sans cesse autour de lui. S'il était finalement parvenu à repérer ce point qui, sur la carte, indiquait l'emplacement d'une cabane, les autres avaient dû le remarquer aussi, et, se doutant que ce lieu pouvait constituer un refuge, ou un havre de ravitaillement, ils l'attendaient peut-être...

Y trouverait-il du sel?

Là-haut, Claire et Sarah attendaient. S'il devait s'assurer qu'il ne risquait rien à entrer dans la cabane, il n'en devait pas moins s'activer. Car si Sarah n'était pas secourue en sel, elle finirait par vomir du sang.

En courant, il alla se plaquer contre un mur de la baraque, s'approcha ensuite de la fenêtre close, colla son oreille sur la fissure du volet. Rien. Aucun bruit. A l'aide d'une vieille barre de fer trouvée par terre, il finit par tordre puis à arracher le cadenas de la porte. Puis, son Magnum dans une main, et, de l'autre, poussant la porte, il pénétra à l'intérieur de la cabane.

Personne.

Du moins, il lui semblait n'y avoir personne. Mais il

faisait si noir, là-dedans, par contraste avec l'éclatant soleil du dehors, que Reuben jugea plus prudent de se tapir aussitôt dans un coin, à droite, jusqu'à ce que sa vue s'accoutumât à la pénombre. Peu à peu, il perçut des formes vagues, puis des choses précises : des couchettes superposées et dépourvues de matelas, un poêle rond dont le tuyau disparaissait à travers le toit et, couvrant le mur du fond, des équipements rangés sur des étagères ainsi que de gros sacs de toile, accrochés aux solives.

Bourne respirait. Aucun danger. Il alla aussitôt à la porte faire signe à Claire et Sarah de le rejoindre. Il attendit, et, ne les voyant pas, craignit qu'elles n'eussent été assaillies par leurs poursuivants. Enfin, il les vit émerger entre les arbres. Sarah était en selle, sur le *pinto.* Claire tirait par la bride les deux autres chevaux. Il alla au devant d'elles, aida Sarah à descendre de cheval. Elle ne tenait presque plus sur ses jambes. Il lui demanda : « Te sens-tu mieux? » Elle fit un effort pour répondre :

— Mais oui, bien sûr.

— Attends ici avec les chevaux, dit-il à Claire. Je vais prendre tout ce que je pourrai trouver d'utile là-dedans.

Sur la première étagère, il trouva deux sacs de couchage dans une housse en plastique. Ce n'était pas ce qu'il cherchait, mais comme ce leur serait très utile il les donna à Claire avant de revenir à sa quête de sel. Le rancher à qui devait appartenir cette baraque en avait sûrement une provision. Sûrement.

Or, sur les étagères, il y avait de tout, du corned beef, des boîtes de sardines et de saumon, de la farine, des bouillons Kub, des biscuits dans des sacs en plastique, des haricots secs, des raisins secs, tout sauf du sel. Il décrocha et ouvrit le premier sac : pas de sel. Dans le second non plus. Il décrocha le troisième sac en s'inquiétant sérieusement.

Puis il se rappela avoir vu quelque chose dans le second sac, qu'il rouvrit en l'explorant à fond. Parmi les cordes et les courroies de cuir qui s'y trouvaient, il avait aperçu un sac de plastique qu'il avait cru contenir du sucre candi, mais maintenant qu'il y goûtait il eut la confirmation qu'il s'agissait bien de pierres de sel. Il en prit une grosse qu'il se hâta de porter à Sarah.

— Mets ça sur ta langue. N'essaie pas de la croquer, car tu la vomirais aussitôt. Suce-la doucement. Maman va te donner une gorgée d'eau, mais juste une gorgée.

C'est alors qu'il perçut de nouveau un bruit de moteur. Tout d'abord, ce fut trop inaudible, trop lointain pour que Reuben pût être sûr d'avoir bien entendu. Puis le bruit se précisa en se rapprochant d'eux.

Reuben regarda Claire. Elle aussi avait entendu. Ils n'eurent pas besoin de se parler. Claire hissa Sarah sur le *pinto* et Bourne, imitant Claire, remontait en selle, quand il réalisa qu'il devait ranger la cabane et refermer la porte pour qu'ils ne s'aperçoivent pas qu'ils y étaient entrés.

Il sauta à terre, rentra dans la cabane et commença à raccrocher les sacs lorsque lui vint une meilleure idée. Il vida le second sac des cordes et des courroies qu'il contenait, puis les entassa dans le premier sac qu'il suspendit de nouveau à une des solives. Dans le sac vide, il empila des boîtes de conserves et d'autres provisions prises sur les étagères, mais en ayant soin de bien doser cet escamotage d'aliments, afin qu'on ne s'aperçût pas, au premier coup d'œil, de leur disparition. Il ressortit de la cabane avec son chargement, posa le sac, referma la porte et replaça le cadenas sur la porte. Bien entendu, de près, ça ne ferait pas illusion un seul instant; mais si l'on se contentait de regarder la baraque de loin, elle donnerait l'impression que personne n'y était entré. De toute façon, c'était toujours mieux que de laisser la porte ouverte. Ramassant le sac, il courut rejoindre Claire et Sarah, mit son chargement en travers de la selle et monta sur le cheval indien. Le vrombissement du moteur se rapprochait de plus en plus. Ils se hâtèrent de gagner le couvert des arbres, Claire montée sur le bai avec Sarah, et Reuben tenant la bride du *pinto* qui galopait à l'unisson de l'indien.

10

Il n'avait pas eu le temps de consulter la carte pour repérer le meilleur chemin à suivre. Il n'avait qu'une idée : les emmener au plus vite le plus loin possible. Montant, descendant, franchissant, ou contournant crêtes et ravins, s'enfonçant dans la forêt, puis remontant toujours plus haut dans la montagne, il ne s'arrêta qu'une seule fois pour essayer d'entendre si l'hélicoptère les avait pris en chasse. Mais l'appareil avait dû se poser ou s'en aller. En tout cas, on n'entendait plus son moteur. Mais il ne tarderait sûrement pas à revenir, ou bien alors ce seraient des cavaliers qui surviendraient derrière eux. Du coup, Bourne pressa son cheval, s'enfonçant dans un dédale de ravins, de défilés et de surplombs.

Comme il s'arrêtait pour donner à Sarah une nouvelle dose de sel avec une gorgée d'eau, il vit les chevaux couverts d'écume et comprit qu'il ne pouvait leur en demander davantage sans risquer de les tuer. Mettant pied à terre, il conduisit par la bride l'indien et le *pinto,* laissant les deux femmes en selle sur le bai. Ils avancèrent dans le lit desséché d'un torrent, au-dessus duquel les sapins emmêlaient si étroitement leurs branches que le soleil n'arrivait pas à les traverser. Sortant la carte de sa poche, Reuben l'étudia en marchant, mais la densité des arbres autour d'eux l'empêcha de se repérer. Ils étaient arrivés là par hasard, de sorte qu'il n'avait pas la moindre idée de l'endroit où ils se trouvaient. Le lit du torrent accentua sa déclivité et les fugitifs se mirent à entrevoir le soleil. Puis les arbres se clairsemèrent. Enfin, ils débouchèrent sur une pente schisteuse aboutissant à un énorme canyon, creusé entre des falaises, à droite et à gauche, qui se rejoignaient quelque deux kilomètres plus loin. Ces falaises étaient très hautes, et la pente schisteuse descendait jusqu'au fond rocheux du canyon. Bourne n'avait encore jamais rien vu de pareil. La réverbération du soleil sur les parois de roches était presque aveuglante. Un vent assez vif soufflait au creux du canyon.

Bourne trouva presque immédiatement l'endroit sur la carte, ou plus exactement il en repéra la localisation et dut déplier une seconde carte pour le situer tout à fait. *Désert à moutons* mentionnait la carte. Il comprit tout de suite pourquoi. Lorsque les bergers étaient arrivés dans la région, les éleveurs de gros bétail les avaient refoulés dans la montagne, ne leur concédant que les plus mauvaises terres. « A la fin, les éleveurs ne supportèrent même plus de leur voir occuper ces terres-là et ce fut la guerre. Les ranchers arrivaient armés de fusils, tuaient les bergers et s'appropriaient leurs troupeaux. Alors les propriétaires de moutons firent venir des Basques d'Espagne, pour veiller sur leurs troupeaux. Ces Basques, bergers de père en fils depuis des générations, n'aimaient pas qu'on vînt fut-ce même seulement regarder leurs moutons. Aussi quand les ranchers attaquèrent de nouveau, les Basques les attendaient et leur tendirent une embuscade. Les survivants se replièrent, avec l'idée de revenir en force. Alors on engagea aussi davantage de Basques pour défendre les moutons. En fin de compte, bien sûr, ce furent les ranchers qui l'emportèrent; toutefois cette petite guerre persista dans la région jusqu'en 1920. Si l'on traverse le canyon, on trouvera, de l'autre côté, des vestiges datant de l'époque où les Basques étaient là. »

Mais Reuben décida qu'ils ne traverseraient pas le canyon, car ce sol rocheux au pied des falaises était un passage idéal pour ne pas laisser de traces. Le lit du torrent asséché qu'ils avaient suivi ne garderait pas trace de leur passage, non plus que la pente schisteuse, et il en irait de même s'ils suivaient le fond du canyon. Puis, au moment propice, ils sortiraient du canyon par une des nombreuses brèches de la muraille, de sorte que ceux qui les traquaient seraient bien en peine de deviner par où ils avaient pu sortir du canyon.

Seules les éraflures faites sur la roche par les fers des chevaux pouvaient trahir leur passage. Aussi, lorsque Claire eut mis pied à terre pour emporter Sarah le long de la pente schisteuse jusqu'au fond du canyon, il déchira une des couvertures afin de confectionner des espèces de chaussons épais qu'il noua autour des sabots des chevaux. Lorsque ces tampons furent suffisamment aplatis pour ne plus gêner les chevaux dans leur marche, ils remontèrent en selle, Claire ayant pris Sarah en croupe sur le bai, et Reuben menant le *pinto* par la bride. Ainsi, les chevaux ne firent plus qu'un bruit étouffé, le seul qu'on entendît avec celui du vent qui soufflait depuis le haut des falaises.

Bourne laissa passer les brèches qu'ils rencontrèrent durant le premier tiers de leur cheminement au fond du canyon, d'autant qu'en sortant du canyon à cet endroit ils fussent quasiment retournés dans la direction de la cabane, alors qu'il souhaitait aller le plus loin possible en sens opposé. A présent, le soleil descendait vers eux. Malgré son chapeau à large bord, Reuben en sentait la chaleur sur son crâne. Il déboutonna sa veste pour décoller de sa poitrine la chemise trempée de sueur. Levant les yeux vers le ciel bleu, il y vit un oiseau. Un épervier, lui sembla-t-il, à moins que ce ne fût un faucon.

— Prends un autre morceau de sel, dit-il à Sarah. Il commençait à chercher une bonne brèche pour quitter le canyon; la première était trop escarpée; la suivante, une cinquantaine de mètres plus loin, se présentait bien et paraissait facile d'accès, raison pour laquelle il y renonça. Trop évidente. La suivante ne montait pas. Elle s'enfonçait tout droit dans la muraille rocheuse. Ce fut celle-là qu'il choisit.

Après le tournant de la brèche, le passage devint plus large. Ils laissaient le canyon derrière eux. Le pas des chevaux résonna un peu sur ce nouveau terrain. Devant lui, la brèche se scindait en deux fourches. Reuben prit celle de droite, espérant qu'ils n'aboutiraient pas à un cul-de-sac qui les obligerait à rebrousser chemin. Aussi décida-t-il qu'il ferait demi-tour dès que la brèche deviendrait trop étroite pour qu'un cheval pût faire volte-face. En fait, ils progressaient à travers un labyrinthe. Il continua malgré tout d'avancer. De nouveau, le passage se divisa en deux et, cette fois encore Reuben prit à droite pour pouvoir retrouver son chemin si cette brèche ne menait nulle part. Le passage se rétrécissait de plus en plus. Bourne souhaita que cela se termine bientôt, car il savait que Claire faisait facilement de la claustrophobie. Sur chacun de ses bords, la paroi rocheuse devenait aussi froide et humide que les murs d'une cave. Une nouvelle fourche se présenta. Cette fois, Reuben obliqua à gauche, tout en étant persuadé qu'il leur faudrait bientôt revenir sur leurs pas. Il consulta sa montre. Cela faisait une bonne demi-heure qu'ils progressaient ainsi, à l'aveuglette. Après avoir passé une nouvelle bifurcation, Reuben mit une main devant ses yeux, pour regarder le paysage qui s'étendait à leurs pieds.

Bourne ne croyait pas ce qu'il voyait.

— Qu'est-ce que c'est? demanda Claire.

— Je n'en sais rien. Ça ne devrait pas être là, dit-il en dépliant fébrilement sa carte. Regarde... Voici le Désert à moutons... et là, la vallée au pied de ces grandes falaises. Si les cartographes ont mentionné un aussi petit détail que la cabane où nous nous sommes arrêtés, comment se fait-il qu'ils aient pu oublier d'indiquer quelque chose d'aussi visible!

Ils dominaient une longue vallée. D'un côté des falaises abruptes; de l'autre, de douces pentes boisées; au centre, tout en bas, le miroitement d'une rivière. L'ensemble rappelait à Reuben des paysages de la vallée des Andes, avec des arbres et une herbe d'un vert éclatant, comme si tout cela sortait d'un mirage. Mais si cette vallée était clairement indiquée sur la carte, ce qui le stupéfiait, c'était la présence, au milieu d'une prairie, d'un long quadrilatère qui n'était autre qu'une ville, avec sa grand-rue médiane, ses ruelles transversales, ses maisons, une ville assez vaste pour avoir dû abriter deux à trois mille habitants, mais qui n'était plus qu'une ville morte, une ville-fantôme.

— Quelque chose ne va pas... Tu ne dois pas regarder la bonne carte, dit Claire. Tu t'es trompé.

— Non! rétorqua-t-il en prenant sa boussole pour orienter la carte. Je ne me suis pas trompé! La vallée y est bien indiquée mais pas la ville.

— C'est impossible! Comment aurait-on pu dresser une carte de la région sans indiquer cette ville?

— Je me le demande... Il arrive que ces relevés soient faits depuis un avion ou bien encore du haut d'une montagne. Peut-être qu'ils ne l'ont pas vue, ou bien ils ont tout simplement oublié d'en prendre note.

Lui-même ne croyait pas à ses explications. La seule explication qui lui parut plausible, à l'extrême rigueur, fut que les cartographes avaient sciemment omis d'indiquer cette ville, n'en parlant qu'aux historiens et aux autorités, afin que les nostalgiques du Far-West ne viennent point détruire ce vestige comme ils avaient fini par détruire les ruines du village d'Indiens Pueblos, en Arizona.

Reuben lança son cheval en avant. Il se sentait attiré par cette ville fantôme. Il attacha son cheval à un sapin, puis aida Claire à descendre Sarah. La fraîche pénombre de l'endroit contrastait fortement avec l'éclatante lumière s'épandant sur le Désert à moutons. Ce ne fut qu'une courte halte. Reuben donna encore un morceau de sel à Sarah puis ils remontèrent sur les chevaux, Sarah toujours en croupe sur le bai de sa mère. Là, c'était un peu comme chevaucher dans un parc : ni fourrés, ni taillis, rien que des sapins régulièrement espacés et dont les branches passaient largement au-dessus de leurs têtes. Le sol était recouvert d'un épais tapis d'aiguilles de pin. Au bout d'un moment, l'air devenant un peu froid, Bourne reboutonna sa veste.

Ils arrivèrent à la rivière. Si on l'entendait à peine couler — un léger murmure —, elle n'en était pas moins large, rapide et profonde. Ils durent la longer un moment, en quête d'un gué. Sur leur gauche, ils virent des cabanes effondrées parmi les arbres; un peu plus loin, des rondins empilés autour de fondations d'autres cabanes qui n'avaient jamais été construites. Ils arrivèrent à un endroit de la rivière où des rochers avaient retenu suffisamment de limon et de gravier pour constituer un gué. Les chevaux purent passer avec de l'eau seulement à mi-jambes. Comme le courant était assez fort, Reuben craignait que leurs montures se cabrent et cherchent à les désarçonner. Heureusement, la rivière fut franchie sans difficulté. Ils se retrouvèrent à la lisière d'une vaste prairie. Bourne se sentit libéré d'un grand poids. Ils firent halte pour laisser boire les chevaux. Ceux-ci burent si longuement qu'il dut les éloigner de force de la berge. Ils se remirent en selle. En voyant l'herbe haute et drue, si différente de l'herbe rase du Désert à moutons, il se dit que les chevaux laisseraient des traces de leur passage et que leur progression serait aisément repérable d'un hélicoptère. Aussi préféra-t-il longer la berge de la rivière. Dans les eaux basses de celle-ci, ils virent un énorme poêle rouillé et, plus loin, ce qui restait d'une pelle dont le manche avait pourri depuis longtemps. Ils atteignirent un semblant de route qui obliquait légèrement, à travers les hautes herbes, en direction de la ville. Ici où là, tout en se rapprochant de la ville, ils apercevaient d'autres vestiges d'une époque révolue.

La ville n'était plus qu'à une centaine de mètres devant eux, ses faubourgs offrant une perspective de maisons basses, aux toits en pente, à l'exception de celles bordant la rue principale qui avaient un étage et un toit en terrasse. Toutes les maisons étaient à demi écroulées, avec des fenêtres aux vitres brisées, des portes ne tenant plus qu'à un gond. Elles n'étaient pas faites de rondins, comme les cabanes près de la rivière. Elles étaient en bois. De chaque côté de la grand-rue, il y avait des trottoirs en bois, et à son extrémité se dressait une église. Les trottoirs étaient gondolés, troués, impraticables. La croix, au sommet du clocher de l'église, pendait à moitié dans le vide. Cette ville était morte, mais l'on sentait que ses habitants l'avaient bâtie avec amour et fierté.

Marerro annonçait un panneau que le vent avait jeté au milieu de la rue; et, au-dessous: *Population : 4 000*. Au bas de ce panneau, gravé au couteau et à peine lisible, un autre chiffre : *350*. Ils passèrent devant une boulangerie, un débit de tabac, une épicerie, deux blanchisseries l'une en face de l'autre, une boutique de coiffeur. Les enseignes de ces magasins gisaient par terre; d'autres, on ne sait par quel miracle, étaient restées accrochées au-dessus des vitrines. Parvenu au milieu de la grand-rue, Bourne s'arrêta, regarda autour de lui, et mit pied à terre.

Sur la façade du plus important bâtiment trônait cette inscription en grosses lettres : *Marerro House*. C'était une maison haute, au toit bordé d'une corniche en bois. De part et d'autre de la grande porte d'entrée s'alignaient de larges fenêtres poussiéreuses et toute une rangée de plus petites, à l'étage. Ayant mis son cheval à la barre d'attache, Reuben s'avança jusqu'à la porte. Les fenêtres sans vitres formaient autant de trous, rectangulaires ou carrés, sur le devant du bâtiment. Le silence était si total que lorsque le trottoir céda sous le pied de Bourne, le bruit parut assourdissant. L'idée irrationnelle qu'il pût y avoir des serpents là-dessous lui fit retirer vivement son pied. Les montants acérés du trottoir déchirèrent le bas de son pantalon.

— Seigneur! fit-il, avec un goût de cendre dans la bouche.

Il continua d'avancer, tâtant le plancher du trottoir du bout du pied, avant d'y faire porter son poids. Il poussa un des battants de la double porte d'entrée. Il ouvrit encore une seconde porte avant d'accéder à l'intérieur des lieux. Le bar et son grand comptoir occupaient tout le mur de gauche; derrière le bar, un grand miroir couvert de toiles d'araignées; une double barre de cuivre terni tenait le haut et le bas du comptoir pour s'y appuyer;

devant le bar, trois crachoirs. Il y avait, un peu partout, des chaises et des tables. Sur quelques-unes de ces tables se trouvaient encore posées des bouteilles et des verres. C'était à croire que les anciens clients venaient seulement de quitter le *saloon*. Plus loin se trouvait un dancing, avec un piano dans un angle, des rideaux de velours rouge réduits en lambeaux. Le long du mur de droite s'élevait un escalier permettant d'accéder à l'étage supérieur.

Marerro, pensa Bourne en ressortant dans la rue où il avait laissé Claire et Sarah.

— Ça va... On peut entrer.

Il s'avança au milieu du *saloon,* suivi de Claire et de Sarah. Suspendue au plafond par des chaînes, le lustre était une roue de chariot, tout autour de laquelle stagnaient des restes de bougies.

— Ouvre l'autre battant, dit-il à Claire.

Ce nouvel apport de lumière lui fit voir l'épaisse couche de poussière et de crasse accumulée sur les tables, les bouteilles et les verres, et sur toute la surface du plancher.

Il s'approcha de la piste du dancing que flanquaient les rideaux rouges. La rampe de bois, qui entourait la piste, se hérissait de réflecteurs de métal devant lesquels étaient disposées d'autres bougies. *Marerro,* pensa-t-il de nouveau. Comme Sarah et Claire étaient aussi intriguées que lui, il s'exclama :

— Qui diable était Marerro?

— Un Mexicain, répondit une voix, derrière lui.

Cette voix anonyme le paralysa sur place. L'espace d'un instant, Reuben fut incapable de bouger ou même de respirer, puis il y eut en lui comme un déclic : il fit volte-face, son colt Magnum dégainé. Mais Claire et Sarah se trouvaient devant lui. Il se jeta vivement sur la droite, tassé sur lui-même, et cherchant à viser. Il vit alors le fusil que braquait sur lui un homme de haute taille, aux cheveux blancs, qui se tenait dans l'encadrement de la porte. Il avait avec lui un grand chien qui, prêt à bondir, montrait les dents.

— Hé, mon garçon, dit le vieux, pointez votre arme ailleurs. Vous m'auriez sans doute touché, mais je vous aurais rendu la monnaie de votre pièce avant de m'écrouler. Et si je ne vous avais pas tué, mon chien s'en serait chargé. Alors, pointez votre arme ailleurs.

Mais Reuben n'en fit rien, ramassé sur lui-même, le doigt sur la détente. Alors, le vieil homme lui dit :

— Je pourrais lâcher le chien sur la petite fille. Du coup, vous ne sauriez plus sur qui tirer, en premier, et moi, je ne vous louperais pas. Allez, tournez votre arme et parlementons.

Tendu, la main tremblante, Reuben n'obtempéra pas. Le vieil homme le considéra un instant avec nervosité puis, haussant les épaules, il abaissa son fusil, le désarma et le posa contre le mur, près de la porte :

— Bon, si vous teniez à ce que le premier geste vienne de moi, voilà qui est fait. Maintenant, à votre tour.

Reuben se détendit un peu :

— Et le chien?

L'animal était toujours prêt à bondir, mais l'homme n'eut qu'à dire « Sage! » pour qu'il se couche aussitôt.

Reuben se sentait un peu mieux.

— Je ne vous demande pas de poser votre colt, ni quoi que ce soit de ce genre, mais cessez de me viser.

Cette fois, Reuben céda, abaissant son Magnum. Le vieil homme sourit, exhibant une bouche aux trois quarts édentée, à part quelques dents jaunes cariées.

— A la bonne heure, mon garçon! Vu la façon dont votre main tremblait, j'ai bien cru que nous allions y laisser tous les deux notre peau!

Il riait de bon cœur. Son visage était plissé de rides. On aurait dit une momie. Les mauvais vêtements qu'il portait donnaient l'impression d'habiller un squelette ou un épouvantail, à croire qu'il n'avait plus de chair sur les os. Son rire était une sorte de ricanement aigu.

Il enchaîna :

— Oui, Marerro, c'était un Mexicain. Il était venu ici

et y avait trouvé une très grosse pépite. Quand d'autres débarquèrent, à leur tour par ici, dans l'espoir de s'enrichir comme lui, il leur dit qu'il pourrait leur révéler le filon où il avait trouvé cette grosse pépite. C'est alors qu'ils se mirent à construire cette ville, à laquelle ils donnèrent son nom. Mais, ensuite, ils le surprirent avec une femme blanche, et le lynchèrent. Après ça, ils s'en voulurent tellement de ne pas savoir où se trouvait tout cet or qu'il avait fait miroiter à leurs yeux qu'ils laissèrent quand même son nom à la ville, comme pour expier sa mort.

— A vous entendre, on croirait que vous étiez là lorsque ça s'est passé.

— Presque, mon garçon. Mais cette ville a été bâtie en 1879 et j'ai beau être vieux, je ne le suis pas à ce point-là. Pas encore. Non, j'ai lu tout ça dans les papiers du palais de justice, qui se trouve juste au bout de la rue. Votre petite fille ne se sent pas bien, on dirait?

Sarah s'était laissée tomber sur une chaise. Son visage était pâle, tout gonflé, et son regard terne.

— C'est l'altitude qui la rend malade.

— Ah! oui, ça arrive. Mais pas à l'altitude où nous sommes. Ça va lui passer. Comment te sens-tu, ma mignonne? demanda le vieux en s'avançant vers Sarah. (Le chien se leva pour le suivre. Sage! commanda-t-il. L'animal se rassit aussitôt.) C'est pour que vous ne redeveniez pas nerveux, dit-il à Bourne. Je ne veux pas que vous recommenciez à avoir la tremblote.

Il rit de nouveau. Sarah se recula sur sa chaise.

— Non, ma mignonne, tu n'as pas à avoir peur de moi. Seulement, ça fait très longtemps que je n'ai pas vu une petite fille. Quel est ton nom?

Elle regarda son père, qui lui fit comprendre de ne pas avoir peur, et répondit :

— Sarah.

— Sarah? C'est un beau nom. J'ai connu une petite fille qui portait ce nom, qui était aussi celui de sa mère, mais ça date de si longtemps que je ne me rappelle plus leurs visages, sauf qu'elles étaient jolies. Oui, ça, je m'en souviens. Jolies comme toi. Quel âge as-tu, Sarah?

— Huit ans.

— C'est le plus bel âge. On devrait le garder toute sa vie. Je me rappelle quand j'avais huit ans... j'étais chez mon père, dans une ferme en Californie. J'avais un chien, qui ressemblait à celui-ci, mais pas si grand. As-tu jamais eu un chien?

Elle secoua la tête.

— Tu aimerais voir le mien de près?

Elle hésita, puis fit oui de la tête.

— Je peux? s'enquit le vieux en se tournant vers Bourne qui ne savait que répondre.

Le vieux attendait.

— D'accord. Oui.

— Vous en êtes sûr? Vous êtes bien sûr maintenant, avec ce colt dans votre main, que vous pouvez me faire confiance?

— Non, mais vous pouvez quand même montrer le chien à Sarah.

Le vieil homme siffla. Le chien accourut immédiatement. Il avait un pelage sombre et une tête massive, carrée. Sa tête dépassait la hauteur de la table près de laquelle Sarah était assise.

— Tu n'as pas à avoir peur. Tends-lui simplement ta main, pour qu'il te flaire.

Elle hésita puis, lentement, peu rassurée, elle tendit sa main. Le chien renifla ses doigts, les lécha, puis revint s'asseoir aux pieds de son maître.

— Tu vois, dit le vieux en caressant le chien. Tu n'avais pas à avoir peur.

Sarah s'était redressée et regardait le chien avec curiosité.

— Quel est son nom?

— Il n'a pas de nom. Je ne lui en ai jamais donné. Je l'appelle simplement « *le chien* ».

L'animal dressa les oreilles.

— J'ai trouvé sa mère, errant dans les bois. Un berger allemand. Un chasseur l'avait probablement perdue ou bien elle s'était sauvée. Elle était enceinte. Elle a dû s'accoupler avec un loup car, de toute la portée, c'est le seul qui avait à peu près l'air d'un chien. Elle est morte de froid voici deux ans. Tu as vomi, Sarah?

Elle acquiesça.

— Tu as mal à l'estomac et au ventre?

Elle avait peur. Le vieux avançait la main vers elle.

— N'aie pas peur, Sarah. Je veux juste toucher ton front.

Puis, regardant Reuben par-dessus son épaule, et souriant de tous ses chicots jaunis :

— Vous êtes sûr maintenant de ne pas vouloir me tirer dessus?

Bourne ne répondit pas, et l'homme posa sa main sur le front de la fillette.

— Sa température est trop basse. Vous lui avez donné du sel?

— Dès que j'ai pu, oui.

— Bon, ça devrait aider, mais ça ne suffit pas. Il faut qu'elle absorbe beaucoup de liquide et qu'elle le garde.

— Elle le vomit aussitôt.

— Pas si elle boit ce que je vais lui donner. Avec ça, elle ne vomira plus.

— Et qu'est-ce que c'est?

— Venez jusque chez moi, je vais vous faire voir.

— Nous préférons rester ici.

— Ah? Moi, ici, je ne m'y suis jamais plu. A cause du patron. Je ne pouvais pas le sentir. J'ai toujours préféré l'autre hôtel, au bout de la rue. J'y avais une chambre pour moi seul.

— Vous avez dit tout à l'heure que vous n'étiez pas assez vieux pour avoir pu connaître la ville quand elle était habitée.

— J'ai dit ça? Ma foi, faut que ça soit une chose ou l'autre, pas vrai? Je dois me tromper.

Il sourit de nouveau et dit, en regardant autour de lui :

— Vous avez peut-être bien raison. Faut pas s'ancrer dans ses habitudes. C'est signe qu'on vieillit. Pour cette fois, je vais donc faire une exception.

Il se dirigea vers la porte. Bourne l'interpella :

— Hé, une minute! Où allez-vous?

— Ben, chez moi, chercher ce qu'il me faut pour soigner votre fille. C'est-y que vous avez changé d'avis et que vous préférez venir avec moi?

— Oui, je crois que ça vaudra mieux.

— Faudrait savoir ce que vous voulez. Un coup vous ne voulez pas venir, le coup d'après vous le voulez. Si vous continuez comme ça, vous allez vous mélanger les pinceaux!

Tout en parlant, le vieux étendait le bras vers son fusil.

— Non, dit Bourne.

— Non quoi?

— Le fusil reste ici.

Tout en se maintenant à distance du vieil homme, Reuben s'empara du fusil. Le chien se mit à gronder.

— Sage! fit le vieux en riant. Faut pas t'énerver : il se rappelle seulement que la prudence est mère de la sûreté.

Il riait aux éclats. Reuben fit passer le fusil à Claire, en lui disant :

— Si quelqu'un vient, sers-toi de ça. Et t'inquiète pas pour le recul. L'autre le sentira beaucoup plus que toi!

— Quelqu'un d'autre? fit le vieux. C'est ça qui vous tourmente? Vous pensez qu'il y a quelqu'un d'autre avec moi et que, pendant que nous serons partis tous les deux, il va venir...

— Oui, exactement, répondit Bourne sans sourciller.

— Eh bien, faut vous rendre cette justice que vous pensez à tout. Mais, comme je me tue à vous le répéter, vous n'avez rien à craindre. Si j'ai choisi de vivre ici, c'est avant tout pour rester à l'écart des gens. Vous ne pensez quand même pas que, si j'avais aimé avoir de la compagnie, je serais resté dans ce bled, non? Avec vous trois, je trouve que ça fait déjà beaucoup trop de monde. Si je supposais que vous avez l'intention de vous installer ici, je ferais tout de suite des plans pour aller ailleurs.

— Je préfère quand même m'en tenir à ce que j'ai décidé.

— Oh! d'accord. Et je ne m'en vexe pas. A votre place, j'agirais comme vous.

Sur ce, le vieil homme se dirigea vers la porte, suivi par le chien. Il s'arrêta pour dire encore, en se retournant :

— Mais pendant que nous restons ainsi à discuter, votre fille ne va pas mieux. Alors, ne nous endormons pas. Vous avez des chevaux, j'ai vu. On va les mettre à l'écurie, parce qu'il va bientôt faire nuit.

Puis il sortit.

Bourne le rejoignit sur le trottoir de bois.

— Les écuries sont par là, dit le vieux en indiquant la direction qu'il prenait.

Après avoir détaché les chevaux, Reuben le suivit.

— Que faisiez-vous dans la montagne?

— Du camping.

— Ouais, bien sûr! Sans tente, ni cheval pour porter l'équipement...

— Nous n'avions l'intention de camper que durant quelques jours. Mais nous nous sommes perdus.

— Ouais, ouais. En dépit de la boussole et des cartes qui gonflent votre poche de veste...

— Je n'ai pas su m'en servir aussi bien que je pensais.

— Auquel cas vous auriez dû pleurer de joie en me voyant, au lieu de sortir votre colt. Non, ces chiffons que vous avez attachés aux sabots de vos chevaux et tout ce qui s'ensuit indiquent clairement que vous fuyez... Tenez, rien que la façon dont vous êtes arrivé jusqu'ici. Quelqu'un qui se serait perdu n'aurait jamais pris le chemin que vous avez suivi pour arriver ici. Vous êtes venu ici délibérément. Pour semer quelqu'un.

— Je vous répète que nous nous sommes perdus. Ma fille est tombée malade et c'est ce qui m'a incité à prendre un raccourci pour arriver ici. La ville n'est pas indiquée sur la carte. Alors pourquoi voudriez-vous que j'aie emprunté ce chemin, si ce n'était parce que j'espérais qu'il mènerait quelque part?

— Quelque chose ne doit pas bien fonctionner dans mes oreilles. Voici une minute, j'étais sûr de vous avoir entendu me dire que vous ne saviez pas lire une carte.

Bourne ne sut plus quoi répondre. Arrivé au carrefour central de la grand-rue, le vieil homme lui fit signe de s'arrêter, puis examina les quatre coins du carrefour pour s'assurer qu'ils n'étaient pas suivis.

— Oui, reprit le vieux, comme vous dites, la ville n'est pas sur la carte. Elle n'y a jamais été. Ils l'ont construite si rapidement et quittée si vite que personne n'a jamais su qu'il se passait quelque chose dans le secteur. Les écuries sont par là, à gauche. Les chevaux vont être contents que vous les débarrassiez de ces chiffons qui, de toute façon, s'en vont en lambeaux.

Les portes des écuries étaient rabattues contre les murs. Le soleil rayonnait obliquement dans les stalles. Dès le seuil, on respirait une épaisse odeur de sciure, de grain pourri et de moisi. Etreint par le même sentiment que dans la forêt, Bourne s'arrêta pile.

— Qu'y a-t-il?

— Entrez le premier.

— Oh! comme vous voudrez.

Claquant des doigts pour que le chien le suive, le vieil homme pénétra dans l'écurie. Après avoir marqué une brève hésitation, Bourne l'y suivit.

11

L'odeur de moisi assaillit ses narines, le faisant suffoquer. Il y avait dix stalles de chaque côté, dont plus de la moitié avaient leurs cloisons écroulées. Le sol était couvert de poussière et d'une paille si sèche qu'elle devenait poudre lorsqu'on marchait dessus. Reuben attacha les chevaux à un croc cavalier, puis se rua vers la seconde stalle, à droite, en braquant son Magnum vers le grenier à foin.

Mais, pour autant qu'il lui fût possible d'en juger, il n'y avait personne. En partie rassuré, il inspecta les stalles dont les cloisons tenaient encore, gagna l'échelle d'accès au fenil et la gravit après s'être prudemment assuré de la solidité des barreaux. Personne dans le fenil.

— Vous êtes un drôle de type, vous savez? gloussa le vieil ermite.

Reuben ne répondit pas. En redescendant l'échelle, un des barreaux céda et il se rattrapa de justesse; le vieux reprit :

— Oui, vous êtes vraiment un drôle de type! Oh! je ne dis pas que vous ayez tort d'être prudent, mais quand même... Qui fuyez-vous donc? Vous ne vous imaginez tout de même pas que je suis l'un d'eux?

— Je vous ai déjà dit, rétorqua Bourne, de mauvaise humeur, que nous ne fuyons personne.

Le vieux ouvrit sa bouche édentée :

— Comme vous voudrez, mon garçon.

— Et cessez de m'appeler mon garçon!

— D'accord, d'accord. Pas la peine de vous emballer pour si peu!

Toujours suivi du chien, le vieux avança vers la porte au fond de l'écurie.

— Ne bougez pas! lui intima Bourne en braquant son Magnum.

Le vieux se retourna et lui dit d'un ton empreint de patience :

— Ecoutez, mon garçon, je fais vraiment tout ce que je peux pour me montrer serviable. Mais si chaque fois que je bouge pour lâcher un pet ou quoi que ce soit, vous braquez votre colt sur moi, nous n'allons pas nous entendre. Il y a un puits là, dehors, et, à moins que vous ne vouliez que vos chevaux crèvent de soif, je me propose de prendre le seau que voici pour aller leur chercher de l'eau. Si vous y consentez, bien sûr!

Bourne ne dit rien; après avoir attendu un instant, l'ermite prit le seau et sortit.

12

L'ermite ne revenait pas. Bourne se rappela Claire et Sarah, seules à l'hôtel. Il s'élança vers la porte du fond; juste comme il l'atteignait, l'ermite entra, plié en deux, tenant l'anse du seau débordant d'eau. Il haletait.

— Vous deveniez nerveux? Très bon pour moi ce genre d'exercice. Cela préserve mon bras de l'atrophie. Un joli mot, atrophie. Vous savez ce que ça signifie?

— Je crois, oui.

— S'atrophier, ça veut dire se tasser, se ratatiner.

Toujours soufflant, l'ermite alla porter le seau aux chevaux.

— Exactement comme votre sexe, après l'amour. J'ai lu ça, un jour, dans un livre. Il va falloir couper de l'herbe pour ces bêtes et leur apporter davantage d'eau; mais, d'abord, je crois que nous ferions mieux de les desseller.

Il commença par l'indien, qu'il conduisit ensuite dans une stalle.

— D'après moi, vous fuyez soit la police, soit quelqu'un qui est contre la police. Or, comme vous avez une petite famille sympathique, je suis porté à croire que le méchant dans cette affaire, ça n'est pas vous mais l'autre. Ai-je raison?

— Je vous ai dit...

— Ouais, je sais, vous ne fuyez personne... Mais ai-je tort ou raison?

N'ayant plus la force d'opposer des dénégations, Bourne se contenta de hausser les épaules.

— Bien sûr que j'ai raison. Ça va-t-y pas mieux maintenant?

Mais Bourne n'aurait su dire si c'était à lui que le vieux s'adressait, ou à l'indien qu'il venait de débarrasser de son harnachement et devant lequel il déposait le seau, avant de sortir à reculons en refermant la porte du box.

— Combien sont-ils à vos trousses?

— Trois cavaliers. Un hélicoptère. Je ne sais pas au juste...

— Que leur avez-vous fait?

— Je les ai rendus méchants.

— Voilà qui ne m'étonne pas! s'esclaffa le vieux. De toute façon, je ne tiens pas à savoir ce que vous leur avez fait. Je connais suffisamment d'histoires vraies. Dites-moi seulement s'ils sont décidés à...

Reuben hocha affirmativement la tête.

— Bon, nous verrons. Pour l'hélicoptère, pas de problème. Nous l'entendrons venir et nous l'accueillerons comme il le mérite. Les cavaliers, c'est autre chose. Maintenant, nous n'avons pas le temps de faire quelque chose avant que le soleil se couche; mais, demain matin, nous irons jusqu'à la falaise et nous ferons rouler deux ou trois gros rochers pour qu'ils obstruent le passage qui mène à la ville. Si vos gars arrivent avant, ils n'auront quand même pas l'avantage du terrain. Mais qui sait? Si la chance est avec nous, vous pourrez prendre ici quelques jours de repos, avant de passer votre chemin.

Le ton était sans équivoque.

— Vous voulez dire que, en toute éventualité, vous tenez à nous voir partir d'ici dans quelques jours?

Le vieux parut peser la chose.

— Oui, je pense que c'est ça... Moi-même, sans doute, je vais devoir partir, car je crains qu'il y ait un peu trop de monde, ici, dans un proche avenir. Quoiqu'on ne puisse rien affirmer... Elle est drôle, cette ville. Des fois, on la voit de la falaise, et d'autres fois, on la voit pas. Y a vingt ans que personne n'était venu jusqu'ici... Et, à l'époque, c'était moi qui avais trouvé le chemin de cette ville.

— Dans ce cas, vous n'avez pu connaître le type qui tenait l'hôtel.

— Vous devez avoir raison.

Le vieux s'occupait maintenant au *pinto,* débouclant les sangles.

— Dites, ça vous ferait rien de me donner un coup de main? Après tout, ils ne sont pas à moi, ces chevaux.

Puis, après un moment :

— Oui, je m'en irai de toute façon. Juste pour ne pas courir de risque. Je reviendrai quand il se mettra à neiger.

C'était comme s'il se parlait à lui-même. Il se tourna vers Reuben :

— En attendant, fiez-vous à moi. Je connais assez le secteur pour vous montrer comment envoyer promener ceux qui vous recherchent. Ça va être comme au bon vieux temps!

13

Dans la clarté froide et grise qui précède l'aube, ils descendirent de leurs chevaux qu'ils attachèrent à des sapins, en leur laissant assez de longe pour qu'ils puissent brouter l'herbe. Après quoi, entre les arbres, ils se dirigèrent vers la falaise et entreprirent d'escalader la pente schisteuse. Le vieux marchait en tête, s'agrippant aux saillies de rochers qui bordaient le lacis de sentiers menant au sommet. Jamais il ne s'arrêtait pour reprendre souffle, ni chercher du regard où poser le pied. Bourne, à tout instant, craignait qu'il ne fasse une chute. Mais toujours le vieux trouvait un nouveau point d'appui, une saillie ou une anfractuosité lui permettant de poursuivre l'avancée. Reuben fut convaincu que, pour faire preuve d'une telle assurance, son compagnon avait dû venir plusieurs fois dans les parages. Bientôt cette escalade en zigzag les mena au-dessus des derniers sapins. Soudain Bourne glissa et se retrouva suspendu dans le vide. Il retrouva son équilibre après un laborieux rétablissement. Ses mains s'étaient écorchées dans l'affaire. Il ne regarda désormais plus qu'elles, pour s'empêcher de penser à cette peur de tomber dans le vide qu'il avait éprouvée quelques instants plus tôt. Enfin, il atteignit le sommet de la falaise, hors d'haleine, plié en deux sous l'effort. Le vieux l'attendait, tranquillement assis sur une grosse pierre.

— Vos mains! dit le vieux.

Bourne n'eut pas besoin de les regarder pour comprendre ce qu'il voulait dire. Ses mains tremblaient sans qu'il pût rien y faire. Etait-ce à cause du froid, ou de cette peur d'avoir failli mourir, tout à l'heure?

Il suivit le vieux vers l'autre bord de la falaise, celui qui dominait le Désert à moutons, où ils se couchèrent à plat ventre. De cette hauteur, on voyait parfaitement dessinée la courbe du canyon, avec son fond rocheux, et aussi les vestiges de cabanes autour de ce qui avait dû être un corral, lorsque les bergers habitaient par là. Reuben remarqua que ce corral n'était pas non plus indiqué sur la carte. Son compagnon pointa le doigt; tout d'abord, Reuben crut qu'il voulait lui faire comprendre qu'il y avait quelqu'un, près des cabanes. De nouveau, il eut peur. Puis il réalisa que le vieil homme lui montrait, au-delà des cabanes, la paroi ouest du canyon au-dessus de laquelle des nuages noirs et bas progressaient vers eux. La neige, pensa Reuben. Frissonnant, il regarda les nuages éclipser le soleil.

Après avoir repéré la brèche du canyon qui permettait d'accéder à la ville, Bourne et le vieux pesèrent de toutes leurs forces sur le rocher. Celui-ci dévala la pente et s'immobilisa à la sortie de la brèche. Le vieux avait bien calculé l'angle de chute.

— C'est parfait! dit-il. Ils croiront que c'est la tempête.

— Vous les avez vus?

Le vieux ne répondit pas. Le rocher n'avait pas complètement obstrué la brèche, la rendant seulement plus difficile à emprunter. Le vieux se dirigeait déjà vers un autre rocher, plus gros.

— Vous ne m'avez pas répondu, insista Bourne en le rejoignant. Est-ce que vous les avez vus?

— Non, mais on ne sait jamais...

Cette fois, le rocher résista. Les deux hommes s'arc-boutèrent, poussant de toutes leurs forces, en vain. Avisant alors une branche épaisse, tombée d'un arbre mort, ils en insérèrent une extrémité sous la pierre et pesèrent sur l'autre. Le bout de la branche se brisa. Ils recommencèrent et, à la seconde tentative, le levier improvisé accomplit son office. Ce second rocher alla s'accoller au premier, à la sortie de la brèche. C'était déjà ça, aucune troupe à cheval ne pourrait franchir ces obstacles, mais des hommes à pied, oui, peut-être. C'est ce que lui expliqua le vieux :

— Bien sûr, ils pourraient laisser leurs chevaux et continuer à pied, dit-il avec un haussement d'épaules. On ne sait jamais...

Ils étaient redescendus de la falaise. Il neigeait. Dans la clairière, les chevaux étaient nerveux.

— C'est à cause du vent et de la neige, dit le vieux tout en flattant l'encolure de l'indien.

C'est alors que Bourne, sans s'expliquer comment, eut la conviction que l'ermite était armé.

— Où est-il? lui demanda-t-il.

Le vieux parut surpris :

— Quoi? Comment?

— Votre revolver. Où est-il? Dans votre ceinture de pantalon? Dans une de vos bottes? Où?

Le vieux finit par répondre :

— Dans un étui, que je porte accroché à l'épaule.

— Quel genre de revolver? Montrez-le-moi.

— Pourquoi? Qu'est-ce qui vous prend?

— Excusez-moi, dit Reuben. C'est le temps, cette neige, qui doit me travailler, tout comme les chevaux.

— Oui, ça doit être ça, opina le vieux en le regardant. C'est un vieux Colt de l'armée, un calibre 45.

Déboutonnant sa veste, il sortit l'arme de sous son aisselle. C'était un revolver à long canon comme son Magnum au métal gris et terne, dont la crosse de bois était abîmée.

— Mais il tire toujours bien, dit le vieux. Soyez tranquille : je sais m'en servir.

— Je n'en doute pas.

Et sans qu'ils eussent besoin de faire un geste ou de dire quoi que ce fût, ils surent que tout irait bien entre eux désormais.

14

Par la suite, il ne put se rappeler si le hurlement avait précédé la détonation — le cri perçant de Claire, l'explosion qui pulvérisa la fenêtre de gauche. Sans doute le cri de Claire, étant donné la façon dont le vieux le menaçait de son couteau. A moins que c'eût été l'explosion qui l'ait fait crier.

Il ne le sut jamais.

Sa première pensée fut que quelqu'un avait projeté un objet à travers la vitre, ou que le vent l'avait brisée, puis il réalisa que deux balles venaient juste de s'écraser contre le mur, près de lui; il se jeta à terre.

— Ils sont là! cria-t-il à Claire. Couche-toi! Couche-toi donc!

Elle avait traversé la salle comme une flèche pour se jeter près de Sarah. Quant au vieux, il était tellement surexcité qu'il resta planté là, le couteau à la main, regardant autour de lui.

Le vent s'engouffrait en hurlant par la fenêtre, faisant entrer des flocons de neige. Puis, ce fut la fenêtre de droite qui éclata sous l'impact des balles.

— Couchez-vous! cria Reuben en tirant le vieux par la jambe, si rudement que l'autre chut à plat ventre, s'écrasant le visage contre le plancher. Reuben s'empara du couteau puis, sortant son Magnum, le braqua vers les fenêtres et la porte.

— Ils vont entrer! Ils vont entrer!

Du sang coulait de la bouche du vieux.

— Sortez votre revolver!

Ayant fini par retrouver ses esprits, le vieux s'exécuta.

— Espèce de vieux fou! reprit Bourne. Ces rochers ne les ont pas abusés un seul instant! Le bruit leur a tout bonnement indiqué où nous étions!

— Peut-être, répondit le vieux, ou du moins Reuben en eut-il l'impression car les mots furent couverts par une nouvelle détonation. Une balle percuta le piano, sur l'estrade, et fit grotesquement chanter les touches.

— Fuyons par-derrière! dit Claire.

— Non, dit Reuben. S'ils sont devant, tu peux être sûre que d'autres nous attendent aussi derrière.

— Il a raison, renchérit le vieux. Notre seule chance, c'est par en haut.

— Mais non! A l'étage, nous serons pris comme dans un piège!

Parce que Claire avait parlé de fuir par-derrière, Reuben prit conscience que, en le suivant dans le saloon, sa femme avait fermé la porte de la cuisine, où quelqu'un avait pu s'introduire. Il crut entendre marcher dans la cuisine et tira à travers la porte, ce qui fit hurler Sarah, cependant que lui-même était assourdi par la détonation.

Le chien avait dû entendre aussi quelqu'un, car il s'était mis à grogner en se rapprochant de la porte.

— Sage! lui ordonna le vieux.

L'animal grognait toujours.

— Sage! répéta le vieux. Le chien revint vers son maître. Le vieux avait dû la sentir avant lui, mais maintenant Bourne voyait aussi une épaisse fumée noire passer sous la porte de la cuisine. Au moment où il jeta un coup d'œil vers la rue, il eut le temps d'apercevoir deux sortes de lanternes brillantes qui décrivirent un arc de cercle, à travers les fenêtres pulvérisées, avant d'exploser sur le plancher. Une violente odeur d'essence assaillit ses narines. Une seconde après, le feu se déclara, faisant jaillir un grand mur de flammes entre eux et la rue.

La fumée en provenance de la cuisine devenait de plus en plus dense, montant vers le plafond. Reuben entendit Sarah tousser. Sous la porte, des langues de flamme apparurent.

— Mets un mouchoir ou n'importe quoi sur ta bouche et respire à travers! cria Bourne à Sarah.

Le vieux rampa vers le bar. Il empoigna le fusil appuyé contre le comptoir et courut à travers la fumée.

— Qu'est-ce que vous faites? s'exclama Bourne qui ne le voyait plus.

— Je vais à la chasse, répondit le vieux, entre deux quintes de toux, en montrant une carabine qu'il rapportait avec le fusil.

— D'où vient cette carabine?

— Je l'avais planquée là cette nuit, pendant que vous dormiez.

— Vieux fou!

— Allez en haut! Vite!

Le vieux fonça vers l'escalier. Le mur de flammes progressait vers eux, dévorant plancher et plafond. La porte de la cuisine était maintenant presque entièrement consumée. Sur son visage, Bourne sentait l'ardent rayonnement des flammes.

— Venez vite! commanda-t-il, aidant Claire à se remettre debout et se baissant pour prendre Sarah.

— Je peux marcher maintenant.

— Alors, vas-y!

Tandis qu'elles couraient vers l'escalier, Reuben, obéissant à une impulsion, revint sur ses pas pour prendre le sac de couchage de Sarah et son sac à dos. Il les rejoignit rapidement. La salle s'embrasait complètement.

— Par ici! leur dit le vieil homme. Il les attendait en haut des marches.

— Mais le feu... on va brûler, là-haut! cria Bourne.

La fumée commençait à envahir l'étage. Ici et là, des flammes léchaient les fissures du plancher.

— Je n'ai pas le temps de vous expliquer! lui répondit le vieux.

Reuben le vit courir au fond du couloir de l'étage, puis donner de grands coups d'épaule contre la cloison.

— Aidez-moi!

L'incendie faisait rage dans le saloon, emplissant le couloir de chaleur et de fumée. Les deux hommes s'efforçaient en vain d'enfoncer la cloison.

— Le fusil! dit Bourne.

— Non, ils entendraient!

A l'unisson de son compagnon, Reuben se lança de nouveau contre la cloison qui, cette fois, craqua comme du petit bois, les précipitant à l'intérieur d'une pièce. Claire et Sarah les y suivirent.

— Nous sommes dans la maison voisine, a dit alors le vieux. Elle appartenait aussi au propriétaire de l'hôtel. Ici, c'était son bureau.

Ils contournèrent un immense bureau, derrière lequel trônait un fauteuil de cuir rongé par les rats. Dans le mur du fond, une ouverture, grossièrement aménagée, leur permit de respirer un air frais et pur.

— J'ai fait ça dans toute la ville, dit le vieux, afin de pouvoir circuler sans être vu, si jamais quelqu'un venait. Ils se faufilèrent par cette ouverture dans une pièce pleine de grandes caisses de bois. Ils zigzaguèrent entre les caisses, passèrent près d'un escalier et arrivèrent devant un second trou, qui les fit déboucher dans une cellule de prison.

A la vue des barreaux de fer et du bat-flanc plaqué contre le mur, Bourne pensa : « Seigneur! Nous sommes piégés. » Mais le vieux appuya sur la partie de la grille qui formait porte, et la cellule s'ouvrit.

— Nous sommes presque arrivés, dit-il.

Ils coururent le long d'un râtelier vidé de ses armes. Là, il n'y avait pas de trou dans le mur, mais une trappe donnant accès au rez-de-chaussée.

— Je vais la lever; vous, couvrez-moi, commanda le vieux en tirant sur l'anneau.

Il ouvrit la trappe d'un coup sec. Bourne braqua son Magnum vers les marches, mais il n'y avait personne.

— Parfait! jubila le vieil homme. C'était tout ce qui me tracassait. Maintenant, nous les tenons!

— Que voulez-vous dire?

Le vieux descendit les marches. Ils le suivirent. C'était le bureau du shérif : une table à écrire, d'autres cellules, une carte clouée au mur, des avis de recherches un peu partout : sans photo, seulement le nom, l'inculpation et la récompense promise... Meurtre, incendie, viol... Reuben regarda ces choses dans un rêve. Puis leur guide s'arrêta devant une porte située sous l'escalier, près des cellules. Il l'ouvrit et regarda dehors. Un vent glacial fit tourbillonner des flocons jusqu'au milieu du bureau.

Reuben regarda la rue, penché au ras des petites fenêtres qui flanquaient la porte. Quand il se retourna vers le vieux, celui-ci avait disparu, mais il revint aussitôt en disant :

— Il n'y a personne par-là. C'est le moment d'en profiter!

L'espace d'une seconde, Bourne se sentit gagner par l'excitation du vieux, se disant qu'ils arriveraient peut-être à s'en tirer. Puis, fataliste, il dit :

— Ils surveillent sans doute l'écurie.

— L'écurie? Qu'importe l'écurie! Moi, je vous parle de leur donner la chasse.

— Quoi? fit Reuben.

— Il doit y en avoir deux devant, ceux qui ont lancé les cocktails Molotov dans le saloon. Plus un derrière, qui a mis le feu à la cuisine. C'est par lui que nous allons commencer.

— Mais c'est insensé! Rien ne prouve qu'ils ne sont que trois. Il peut y en avoir aussi bien une douzaine!

— Aucune importance. Avec cette tempête de neige, c'est comme s'ils étaient trois. Nous serons sur eux avant même qu'ils s'en soient rendu compte.

— Vous, peut-être. Mais moi je m'occupe de nous tirer d'ici.

— Allons donc! Ecoutez-moi : si vous filez maintenant, ils vous traqueront de nouveau. Vous n'aurez jamais une meilleure occasion que celle-ci : vous savez où ils sont alors qu'eux ignorent où vous êtes, et nous avons une tempête de neige pour couvrir notre approche.

— Mais vous ne faites pas ça pour moi, hein! C'est pour vous que vous le faites! Je ne vais pas risquer la vie des miens pour vous faire plaisir!

— Et comment que c'est pour moi! C'est ma ville qu'ils sont en train d'incendier. Et pas seulement ma ville, mais ma maison. Alors, je ne vais pas les laisser s'en tirer comme ça!

— A quoi bon? La ville est foutue. Quand ils en auront terminé avec ce côté de la rue, ils s'attaqueront à l'autre, et quand ils s'en iront, il ne restera plus un seul mur debout. Ce serait différent si l'on pouvait espérer sauver quelque chose. Mais juste pour se venger, ça ne vaut pas le coup. Nous partons.

— Si vous partez, je vous descends!

Ils avaient bouclé le cercle : le vieux braquait son fusil sur Reuben et celui-ci son Magnum sur le vieux. Mais, cette fois, ce serait Reuben qui devrait mettre les pouces, car le vieil homme n'hésiterait plus à tirer, ça se sentait. Lui-même savait qu'il ne tirerait pas, ayant bien trop peur que les autres entendent la détonation et rappliquent aussitôt.

Bourne abaissa son Magnum :

— Bon... Dites-moi ce que vous voulez que je fasse.

Le vieux, qui avait armé son fusil, sourit en baissant le canon de l'arme, à son tour. Reuben tremblait.

— Vous n'avez qu'à me regarder.

— Le feu! hurla Claire.

Les flammes produisaient un ronflement tout proche. La fumée s'insinuait à travers le mur.

— Qu'elles se cachent dans l'herbe, dehors! dit le vieux en pointant le doigt vers Claire et Sarah.

Au moment où le vieux lui tourna le dos pour montrer aux femmes où se cacher, Bourne songea à l'assommer avec la crosse de son Magnum, afin de pouvoir aller ensuite chercher les chevaux. Mais il n'esquissa pas le moindre geste. C'était comme si le destin avait scellé son sort. Il se dit que le vieux avait peut-être raison, après tout, et qu'une telle occasion ne se représenterait jamais plus. Dans une demi-heure au plus, tout serait terminé, d'une façon ou d'une autre. Et peut-être n'auraient-ils plus à fuir, après ça.

15

La neige lui fouetta le visage. En dépit des maisons incendiées, on y voyait à peine. Il était quatre heures de l'après-midi, mais déjà la nuit tombait. De plus, la fumée s'ajoutait au blizzard pour leur brouiller la vue. Comme ils progressaient le long d'une cabane en direction de l'hôtel, maintenant presque consumé, ils faillirent buter sur un homme qui, tapi dans un angle de la cabane, surveillait l'arrière de l'hôtel. Le vieux le vit et s'arrêta pile, posant sa main sur la bouche de Bourne afin de l'empêcher de parler. Puis, se baissant, il sortit de sa botte un long poignard et disparut.

Bourne ne comprenait pas. Si le vieux avait ce poignard caché dans sa botte, pourquoi, lorsqu'ils en étaient venus aux mains tout à l'heure, s'était-il emparé de son couteau de chasse, à lui, Reuben, au lieu d'avoir sorti ce poignard? Parce qu'il n'avait pas eu le temps de sortir son poignard de sa botte? Ou parce qu'il voulait montrer à Reuben combien il était facile de le désarmer?

Il ne le sut jamais. Pas plus que, dans le ronflement de l'incendie, il n'était plus très sûr d'avoir entendu l'homme pousser un hurlement lorsque le vieux le poignarda. Il se demandait même s'il était possible qu'un homme ait pu hurler si horriblement. Le vieux reparut, essuyant sa lame de poignard sur son pantalon. Il n'arrêtait pas de neiger.

— Venez m'aider, dit-il.

A demi inconscient, Bourne le suivit. Le premier de leurs assaillants gisait à plat ventre dans la neige. Malgré les flocons tombant en abondance, il y avait beaucoup de sang partout, sur l'homme et tout autour de lui.

Bourne crut défaillir : le crâne du mort avait été dépouillé de ses cheveux; une croûte de sang s'était formée sur la boîte crânienne et le cou, par coagulation. Horrifié, Bourne vit encore les cheveux du mort passés sous le ceinturon du vieux.

— Mon dieu! Mais vous l'avez scalpé!

Agitant son poignard vers lui, le vieux éructa :

— Taisez-vous et aidez-moi! Sinon je vous fais comme à lui. Ne me compliquez pas les choses!

L'ermite empoigna le mort par les pieds et, le retournant, le tira face contre terre en direction de l'incendie, laissant une traînée sanglante dans la neige.

— Aidez-moi, je vous dis!

Une fois encore, Bourne obéit. Quelque peu chancelant,

il saisit les mains du mort, le souleva à demi et aida le vieux à le porter vers le feu. La neige fondait sur son veston. Quand ils ne purent approcher davantage sans danger, les deux hommes soulevèrent complètement le corps, le balancèrent un peu pour lui donner de l'élan, puis le jetèrent dans les flammes. Le corps tomba juste à la limite du feu, un bras replié sous le ventre. Les flammes le léchèrent aussitôt. Une odeur de cheveux grillés assaillit les narines de Reuben, lui retournant l'estomac, sans qu'il sût au juste s'il s'agissait des cheveux du mort ou des siens. S'éloignant des flammes, il tomba à genoux, en proie à de violents haut-le-cœur.

— Levez-vous! ordonna le vieux. Debout!

Reuben se sentit absolument incapable d'obtempérer. Les haut-le-cœur continuaient.

— Je vous dis de vous lever, bon dieu!

Le tirant par les épaules, le vieux l'obligea à se remettre debout et le sermonna :

— Ce n'est pas le moment de jouer les femmelettes. Je vais aller par-là.

Du doigt, il indiqua la façade arrière du bureau du shérif.

— Je vais m'arranger pour traverser jusqu'aux maisons, là, en face. Vous, faites de même à l'autre bout de la rue.

L'index se pointa dans la direction opposée, vers l'entrée de la ville.

— Nous allons les prendre en sandwich.

Bourne aurait voulu dire quelque chose, mais il ne trouvait rien et, de toute façon, c'eût été inutile. D'ailleurs, le vieux avait déjà disparu au milieu de la tempête de neige. Reuben resta sur place, la sueur au front, le regard fixé sur la traînée sanglante que les flocons recouvraient lentement, le nez plein de cette écœurante odeur de cheveux, de chair et de vêtements brûlés. Puis il s'élança brusquement dans la direction indiquée, courant le long des maisons en flammes. Il atteignit une ruelle conduisant à la grand-rue et faillit s'y engager.

Mais les flammes envahissaient déjà cette ruelle. Reuben se rendit compte qu'il ne pouvait l'emprunter sans courir de grands risques. Alors, il poursuivit sa course derrière les maisons, dépassa l'incendie, et se retrouva au coin d'une autre ruelle.

Il s'arrêta instinctivement, se plaquant contre un mur, et, le Magnum à la main, risqua un œil dans la ruelle qui rejoignait la rue principale.

Personne.

Alors il se précipita dans le passage et courut droit devant lui. De nouveau, il s'appuya contre un mur pour observer la grand-rue. Le vent soufflant la neige sur sa nuque et non dans ses yeux, il put, entre ses paupières mi-closes, scruter les trottoirs, le devant des boutiques, s'efforçant de distinguer si un ennemi s'était posté quelque part dans une des maisons encore intactes.

Ne voyant personne, il respira à fond et traversa la rue comme une flèche pour se tapir à l'angle de la maison opposée. Ne voyant toujours personne, il progressa avec prudence vers l'incendie, en surveillant les deux côtés de la rue.

Il ne s'attendait pas qu'il y eût quelqu'un dans ce pâté de maisons. Ils devaient être dans le suivant, en face de l'hôtel, épiant celui-ci pour être bien sûrs que personne n'en sortirait vivant avant l'effondrement final.

Toutefois, s'ils étaient plus de trois, ils avaient pu s'échelonner dans la rue, juste en cas, et Reuben devait s'assurer du contraire en scrutant le devant des boutiques à mesure qu'il avançait. Il atteignit ainsi une autre ruelle. Sur sa droite, tous les bâtiments flambaient, dont l'hôtel. Il s'arrêta pile en entendant des coups de feu. Trois détonations, mais tellement étouffées par les bruits de l'incendie qu'il n'aurait su dire si c'étaient des coups de fusil ou de revolver. Le vieux! pensa-t-il. Sans raison et en dépit de tout, il voulut se porter à son secours mais hésita un instant. Ce fut cette seconde d'hésitation qui le sauva. Car la silhouette qui surgit des tourbillons de neige, devant lui, était celle d'un homme qui portait un treillis de camouflage blanc. Bourne se laissa tomber sur les genoux, puis plongea en avant, le visage dans la neige, lorgnant d'un œil l'homme qui s'était mis à courir dans la direction d'où venaient d'être tirés les coups de feu.

Deux nouvelles détonations! C'était des coups de revolver. Trois, quatre, cinq! Seigneur! Le vieux était en train de vider son chargeur et n'aurait pas le temps de réarmer... Puisqu'il avait laissé son fusil à Claire, il ne lui restait donc plus que la carabine. Mais avec cette neige, et avec une carabine, il était incapable de viser quelqu'un avant que ce quelqu'un fût presque sur lui et, à si courte distance, une carabine ne lui donnait presque aucune chance.

Une autre détonation, plus forte, terrible! Reuben rampa vers les maisons encore épargnées par l'incendie, s'immobilisant sans cesse, l'œil aux aguets, l'oreille tendue.

Il rampait dans le caniveau, de façon que la hauteur du trottoir en planches le dissimulât à la vue d'un des assaillants peut-être embusqué dans une des boutiques. Car ils ne pouvaient être que dans les boutiques. La tempête de neige devenait trop violente pour qu'ils soient restés dehors. D'ailleurs, à l'heure actuelle, ils devaient donc être convaincus que personne n'avait survécu à l'incendie de l'hôtel; ils attendaient à l'abri que la tempête se calme et que le feu s'éteigne, pour aller compter les morts.

Non, il se trompait. Le type en treillis de camouflage était bien dehors, lui. Bourne se remit à ramper.

Une nouvelle détonation. Puis encore une autre. Des carabines. Quelqu'un criait. Ce n'était pas le vieux, Reuben en était sûr. Le vieux avait dû en descendre un deuxième. Mais, après tout, était-il tellement sûr que ça n'était pas le vieux qui venait de crier?

Bourne se remit debout et, la main gelée sur la crosse métallique de son arme, il franchit le trottoir d'un bond; son épaule enfonça une porte, et aussitôt son Magnum décrivit un demi-cercle en quête d'une présence ennemie. Cette boutique était, ou plutôt avait été, celle d'un marchand de grains et de légumes secs, avec un comptoir, de chaque côté, devant des étagères vides et de la poussière partout et, partout, des toiles d'araignées.

Personne dans la boutique.

Alors Reuben recula pour gagner l'ombre d'un coin. Il trébucha contre une boîte. Au même moment, la porte de derrière s'ouvrit toute grande. Comme transportée par la neige et le vent, une ombre armée se découpa, un instant, dans l'encadrement de la porte. Bourne braqua son Magnum. C'était le vieux.

Le vieux l'ignora totalement. Il tenait une lampe à pétrole à la main. Il la posa sur le comptoir, craqua une allumette, mit le feu à la mèche et jeta la lampe au milieu de la boutique.

— Qu'est-ce que vous faites?

— Taisez-vous! Foutez-moi la paix!

— Ils sont planqués dans les boutiques voisines. Je leur rends la monnaie de leur pièce.

Il marcha vers la porte et se campa devant :

— Ils vont être obligés d'en sortir. Je suis prêt à les recevoir.

Ça n'avait aucun sens. Le vieux se vengeait des autres parce qu'ils incendiaient sa ville, et voilà qu'il en faisait autant. Ce n'était pas l'esprit de vengeance qui l'animait, mais le seul désir de tirer sur quelqu'un; il était pris d'un tel délire qu'il alla même jusqu'à rire en trébuchant sur le seuil de la boutique. Et c'était pour cela qu'il les avait empêchés de partir! Pour cela, que Claire et Sarah étaient en train de mourir de froid, cachées dans les hautes herbes!

Ne pouvant se contenir plus longtemps, Bourne explosa :

— Vieux fou! Vieux salaud! Vous ne...

Mais ça n'avait plus d'importance. Le vieux n'alla pas plus loin que le trottoir. La carabine lui tomba des mains. Il tomba à genoux, son rire s'achevant en un grognement sourd. Une seconde détonation le propulsa à l'intérieur de la boutique. Le vieux s'écroula, touché à mort, le sang lui sortant par la bouche.

Bourne fut incapable de bouger. Il se rendait compte qu'il aurait dû plonger derrière un des comptoirs afin de défendre sa vie, ou bien encore fuir par la porte de derrière avant que les autres n'arrivent. Mais il restait là, le regard fixé sur le vieil homme écroulé par terre, sa chemise maculée de sang. Alors, Bourne se mit à crier : « Salaud! Vieux salaud! » en tirant trois fois de suite dans le cadavre. Léchant le plancher, les flammes commençaient à griller la main du vieux. Une balle fit exploser la fenêtre et se ficha dans le comptoir, tout près de Bourne. Celui-ci tira encore sur le vieux, lui fracassa la tête, puis, après avoir fait feu en direction de la porte ouverte, il s'enfuit par-derrière.

16

Il ne put jamais exactement se rappeler comment il avait rejoint Claire et Sarah. La tempête, plus violente que jamais, l'avait assailli dès qu'il s'était mis à fuir la ville. Il n'avait même pas regardé si les autres le guettaient. Il ne s'était pas ramassé sur lui-même pour constituer une moindre cible, n'avait pas non plus cherché à se dissimuler aux yeux de ses assaillants : il avait couru, droit devant lui, dans la direction opposée à celle qu'il aurait dû prendre pour gagner le champ de hautes herbes où il avait laissé sa femme et sa fille. Oui, il courut droit devant lui, trébuchant, se tordant les pieds, tout en continuant de maudire l'ermite : « Vieux fou! Vieux salaud! » Ou peut-être le hurlait-il à pleins poumons. Il ne se rappela rien avec précision. Il courut en aveugle le long des maisons et des cabanes. Il ne sut jamais très bien non plus à quel moment il s'était rendu compte qu'il n'était plus dans la ville, mais au milieu des champs et qu'il allait tomber là, mourir de froid. Ce fut seulement plus tard qu'il reconstitua ce qui lui était arrivé et comprit que, lorsqu'il était tombé, la gifle de l'herbe sur ses joues l'avait rappelé à la réalité. Il avait pris alors conscience que, dans le repère de la ville, il allait se perdre et errer jusqu'à tomber d'épuisement, puis mourir. Ce qui lui rendit quelque courage fut la pensée de Claire et Sarah qu'il avait abandonnées à elles-mêmes et qui allaient mourir.

L'incendie lui servant de repère, il revint vers la ville aux abords de laquelle l'attendaient, transies, sa femme et sa fille. Elles s'étaient blotties au milieu des hautes herbes dans le sac de couchage qu'il avait été chercher dans le saloon en flammes. La neige s'accumulait autour d'elles. Comme il avait dit à Claire de tirer à vue, avec le fusil si qui que ce soit approchait, elle allait appuyer sur la gâchette quand elle le reconnut, au tout dernier moment.

— Mon dieu! Je me demandais ce qui pouvait se passer! dit-elle. J'entendais toutes ces détonations, je voyais le feu s'étendre et je pensais que jamais je ne...

— Oui, je m'en doute. répondit-il. Mais maintenant c'est fini. Ne te tourmente plus : tout va aller bien, affirma-t-il avec force en souhaitant qu'elle le crût.

Elles étaient à demi gelées. Il n'avait pas le temps de leur frictionner les mains et les pieds pour les réchauffer. Elles gelaient sur place. Il fallait repartir au plus vite. La première pensée de Reuben fut de couper à travers champs en direction des montagnes, mais il comprit qu'ils se perdraient au milieu du tourbillonnement des flocons, que leurs pieds gèleraient et qu'ils succomberaient en chemin. Non, ce qu'il fallait faire, c'était essayer de récupérer les chevaux. Les autres devaient surveiller l'écurie, il le savait, mais il devait quand même tenter sa chance. Si, en approchant, ils voyaient certains des autres près de l'écurie, il renoncerait. Du moins aurait-il le sentiment d'avoir tout essayé.

Ils décrivirent un large demi-cercle à travers champs pour gagner l'écurie par l'extérieur de la ville. Sarah était tellement frigorifiée que Reuben dut la porter, trébuchant, fouettée par les rafales de neige. Il la sentit s'abandonner contre lui en dodelinant de la tête. Il se dit qu'il devait l'obliger à marcher, sans quoi elle s'endormirait, son métabolisme se ralentirait, et elle mourrait de froid. Il la posa donc par terre et, les deux mains sur ses épaules, la fit marcher de force en la poussant devant lui, la retenant quand elle vacillait sur ses jambes. Ils atteignirent le carrefour de la grand-rue qui donnait sur les écuries. Entre eux et le salut, il n'y avait plus que la largeur d'une rue à traverser.

— Nous devons intervenir simultanément par-devant et par-derrière. S'il y a quelqu'un dans l'écurie, nous serons deux contre un.

— Mais comment synchroniser le mouvement? objecta Claire.

Elle avait raison. Ils devaient donc entrer tous ensemble, lui en tête. S'ils se séparaient, ils n'arriveraient peut-être jamais plus à se retrouver. C'était une tentative désespérée : elle réussirait ou échouerait, mais il n'y avait plus moyen d'agir autrement. Entraînant Sarah avec lui, Reuben traversa la rue en courant. Suivi de Claire, il s'engouffra dans une ruelle transversale et ils tournèrent à gauche dans la rue de derrière, puis s'immobilisèrent à proximité de la porte arrière des écuries. Bourne leur fit signe de rester sur place, tandis que lui-même s'avançait avec précaution, plié en deux, examinant la neige devant la porte pour y déceler des empreintes de pas. Il n'y en avait aucune. Et la neige amoncelée était suffisamment lisse et épaisse pour donner à penser que la porte n'avait pas été ouverte. Bourne cligna des yeux en regardant du côté de l'incendie, puis se retourna pour faire signe aux femmes d'avancer avec prudence. Alors, respirant à fond, il saisit la poignée de la porte et l'ouvrit en écartant la neige à coups de pied. Il plongea aussitôt en direction d'une stalle, à droite. Puis, ramassé sur lui-même, son Magnum au poing, il inspecta les autres stalles. Les chevaux s'agitaient, affolés par l'odeur de la fumée et le bruit soudain de son entrée. Reuben observa aussi le grenier à fourrage, mais si quelqu'un s'y était trouvé, il serait déjà mort à cette minute.

— Entrez vite! Nous n'avons pas beaucoup de temps! Il se dépêcha de seller le pinto.

Claire harnacha le cheval bai tandis que, près de l'échelle menant au grenier, Sarah se frottait les mains en tapant des pieds pour se réchauffer. Les mains de Reuben étaient enflées et paralysées par le froid, si bien qu'il n'arrivait pas à seller le *pinto* aussi vite qu'il aurait fallu, devant sans cesse se frotter les mains sur les cuisses afin d'accélérer la manœuvre. Finalement, le *pinto* fut sellé. Il passait à la stalle suivante, où se trouvait le cheval indien, lorsque Claire poussa un cri. Levant les yeux comme elle, Reuben vit, dans un coin du fenil, un homme braquant sur eux un fusil de guerre. Il était jeune et portait une tenue de camouflage blanche, comme l'autre de tout à l'heure; son capuchon rejeté en arrière, il souriait en les visant avec son arme. Se jetant vivement derrière une cloison des stalles, Bourne sortit son Magnum, mais ses doigts étaient tellement engourdis qu'il le laissa tomber. Debout en haut du fenil, l'agresseur eut un mauvais sourire. Puis Reuben le vit épauler son fusil et viser dans sa direction. Le fracas de la double détonation fut assourdissant. Là-haut, le jeune type se désintégra, la tête éclatée, le bras arraché, la poitrine rougie de sang. Il fut comme soulevé de terre, puis tomba à la renverse, son corps s'écrasant sur le plancher du fenil.

Bourne ne comprenait pas ce qui s'était passé. Sarah hurlait. Tournant la tête, il vit que Claire tenait encore le canon de son fusil braqué dans la direction du type mort dans le fenil. Immobile, le regard fixe, ne paraissant même plus respirer, elle ne lâchait pas le fusil, pétrifiée par le choc. Ce fut seulement lorsqu'il lui prit l'arme des mains qu'elle éclata en sanglots. Reuben n'avait pas le temps de la réconforter et ne sut même pas comment il arriva soudain à se mouvoir avec autant d'agilité, faisant sortir le bai et le *pinto* de leurs stalles, forçant Claire et Sarah à les faire sortir par la porte de derrière, tandis que lui-même se hâtait d'aller chercher l'indien qu'il n'eut pas le temps de seller convenablement. Il réussit quand même à se mettre en selle sans trop de mal dès qu'il eut sorti le cheval de l'écurie, criant aux femmes de le suivre. Ils remontèrent la rue au galop, puis tournèrent dans la ruelle pour traverser la grand-rue en direction des champs couverts de neige, de l'autre côté de la ville. Tandis qu'ils sortaient de la ville, après avoir traversé la grand-rue au galop, une détonation éclata dans leur dos.

Balle perforante!

Reuben vit l'impact de la balle exploser devant eux. Il éperonna sa monture en se cramponnant aux rênes pour ne pas tomber. Claire et Sarah chevauchaient de part et d'autre de lui. La tempête s'était un peu calmée. Ils aperçurent les champs devant eux. Comme ils abordaient les hautes herbes, Reuben entendit une deuxième détonation. Ce fut une grâce de Dieu que Sarah n'eût pas l'idée de se retourner vers sa mère. Reuben, lui, sut que la balle venait de tuer. Il sut immédiatement ce qu'il allait voir, s'il regardait vers Claire. Mais il eut quand même la force de se tourner vers sa femme. Il recueillit son dernier regard de vivante, avant qu'elle ne bascule dans la neige, au pied du cheval bai, un grand trou rouge au milieu de la nuque.

17

Bourne fut un très long moment avant de retrouver un semblant de lucidité. Le choc de ce qui venait d'arriver à sa femme l'avait littéralement assommé. Il poussait son cheval à grands coups d'éperon, Sarah près de lui.

Il atteignit le couvert des arbres. L'indien suait et bavait. Bourne galopait comme un fou, plus loin, toujours plus loin, escaladant la montagne sans se retourner. Il aurait continué ainsi jusqu'à ce que son cheval s'effondrât s'il ne s'était soudain aperçu que Sarah n'était plus avec lui. Il tira sur les rênes, fit faire demi-tour à l'indien, et aperçut alors Sarah au bas de la montée, le *pinto* écroulé sous elle. Il redescendit au galop, faillit tomber, se rattrapa de justesse, dérapa, mais put enfin attacher son cheval à un arbre et se précipiter vers sa fille. Il craignait que sa jambe, prise sous l'animal, fût cassée, mais il s'aperçut avec soulagement que la neige était si épaisse que la jambe de Sarah s'y était simplement enfoncée comme entre deux coussins. Il s'affaira aussitôt à dégager sa fille en la faisant glisser doucement vers l'arrière. Après quoi, il tira sur les rênes pour aider le *pinto* à se relever, ce qui fut long et laborieux. Quand, enfin, il l'eut attaché à une branche de sapin, l'épuisement, s'ajoutant au terrible choc de ce qui était arrivé à Claire, eut finalement raison de lui et il n'eut que le temps de se laisser tomber contre le tronc d'un arbre pour ne pas s'évanouir. La tempête s'apaisait, les flocons devenaient moins abondants et moins denses sous le couvert des sapins dont le vent flagellait les branches.

Puis le vent tomba complètement. Une sorte de silence ouaté les entoura, rompu seulement de temps à autre par le bruit feutré d'un paquet de neige tombant d'une branche.

— Où est maman? demanda Sarah.

Elle avait rampé jusqu'à lui. Ce silence et la neige environnante semblaient absorber sa voix.

Ne parvenant pas à réprimer son tremblement, Bourne ne répondit pas.

— Où est maman?

— Elle est restée en bas.

— Pourquoi elle ne vient pas?

Silence.

— Est-ce qu'elle va nous rejoindre?

— Je ne le pense pas.

Le visage de Claire. Son dernier regard. La balle perforante. Il ne pouvait chasser ces images de son esprit, levant vainement les yeux vers un ciel aussi blanc que la neige, contemplant ses mains qui continuaient de trembler. Puis il regarda Sarah.

— Ta maman est morte, ma chérie, dit-il en la serrant sur sa poitrine.

Tout le temps qu'il la tint serrée contre lui, Sarah demeura totalement inerte. Quand il l'écarta doucement de lui, pour voir son visage, il vit ses yeux : gris, inexpressifs, comme depuis tant de jours déjà.

— Que lui est-il arrivé?

— Elle a été tuée par un fusil.

— Tu en es sûr?

— C'est arrivé quand nous traversions le champ, à la sortie de la ville. Maman est morte.

— Tu es sûr qu'elle est morte?

— Oui. Je suis sûr.

Il la serra de nouveau contre lui. Mais les questions de la fillette avaient déclenché quelque chose et cette nuit vit naître le doute qui ne devait jamais plus le quitter.

Ils galopaient côte à côte, Claire et lui, la neige tombait en abondance, et il n'avait vu le visage de Claire que l'espace d'un instant, lorsqu'elle avait basculé du bai. Cela lui avait paru long, long. Mais cela s'était passé si vite. Peut-être que Claire n'était pas morte. Peut-être que ce grand trou rouge n'était qu'une éraflure, et non une balle perforante qui avait explosé dans sa tête. Peut-être que s'il avait fait demi-tour, il eût pu la sauver.

Peut-être... Mais non, Claire ne pouvait qu'être morte. Ce n'était pas une éraflure. Ce trou, dans sa nuque, donnait l'impression qu'on l'avait frappée là avec une pioche. Claire était morte avant d'avoir basculé dans la neige. Elle ne pouvait qu'être morte...

Il ne pouvait chasser de son esprit la vision de ce dernier regard, son visage ruisselant de sang, ce trou béant dans sa nuque. Etreignant Sarah, Reuben luttait, fermant les yeux, mordant sa lèvre, crispant ses poings, conscient que son tremblement était pour beaucoup dû à la pensée que cette balle aurait pu l'atteindre, lui, dû à sa peur. Son sentiment de culpabilité s'accrut d'autant qu'au lieu de penser que Claire était morte, c'était à lui-même qu'il pensait, à sa peur d'être mort, lui. Repensant ainsi à ce cadavre qui aurait pu être le sien, il imagina ce que les autres étaient capables d'en faire. Il se sentit impardonnable. Il n'aurait pas dû abandonner Claire. Pour rien au monde il n'aurait dû la laisser.

Il prit Sarah par les épaules, doucement :

— Ecoute-moi... Je vais redescendre là-bas. Maintenant que le vent est tombé et que la neige s'est arrêtée, il ne fait plus si froid. Tu peux donc dormir sans danger. Je vais t'arranger le sac de couchage pour que tu aies une sorte d'abri; et avec les chevaux, tu ne te sentiras pas seule. Nous allons manger quelque chose sur le pouce, puis je te coucherai dans le duvet, mais il faut absolument que je redescende.

Elle ne lui posa aucune question, se bornant à le considérer avec le même regard fixe, inexpressif, tandis qu'il fouillait ses poches pour voir ce qui s'y trouvait. Depuis leur arrêt dans la cabane dont il avait forcé la porte, Bourne s'était fait un principe de toujours transporter sur lui quelque chose à manger. Il trouva donc un peu de chocolat, quelques biscuits, et du sel. Sarah et lui mangèrent en silence. Les chevaux, près d'eux, grattaient le sol de leurs sabots, en quête d'un peu d'herbe.

— Nous n'avons pas nos bidons, dit Reuben, mais ça ne serait pas prudent de boire de la neige fondue. Ça ne ferait que te glacer le ventre. Alors, si tu as soif, tu vas devoir patienter. Ça me coûte de te laisser là, mais il faut absolument que je redescende et je ne peux pas t'emmener avec moi. Tu vas te sentir seule et, dans un moment, tu auras probablement peur; aussi, essaie de dormir. Comme ça, tu n'auras pas le temps de t'apercevoir de mon absence et je ne serai pas long à revenir. Surtout, sois sans inquiétude : je te promets de revenir.

Une tablette de chocolat à la main, elle se contenta de le regarder en hochant la tête. Il arrangea le sac de couchage sous les branches, du mieux qu'il put. Puis il aida sa fille à s'y introduire, remonta la fermeture à glissière, embrassa Sarah sur les deux joues, la regarda encore une fois, puis s'en alla.

18

Tout d'abord, il avait pensé repartir à pied. Il ne voulait pas risquer qu'un hennissement signalât son retour et, la nuit, il lui serait plus facile de circuler entre les arbres à pied plutôt qu'à cheval. Mais, réalisant à quel point ses pieds étaient engourdis et que, dans sa fuite, il avait dû couvrir à cheval plusieurs kilomètres, il comprit qu'il n'arriverait jamais à faire cet aller-retour à pied. Il remonta sur l'indien et redescendit vers la ville.

Au sortir de la forêt, il mit pied à terre. La neige craquait sous ses bottes. Il attacha son cheval à un arbre et regarda le champ de neige à la sortie de la ville. La nuit était tombée mais la ville n'en était pas moins nettement visible, irradiant une clarté orangée, avec des flammes ici et là. A part des pans de murs en train de se consumer et quelques maisons épargnées par l'incendie, Marerro avait été presque entièrement détruite.

Reuben s'engagea, à pied, dans le champ en suivant les traces des chevaux que la neige, heureusement, n'avait pas complètement effacées. Les traces de sa fuite...

Ils ne devaient pas s'attendre à ce qu'il revienne. A moins, bien sûr, qu'ils aient pensé qu'il viendrait chercher le corps de Claire. La peur le gagna soudain, il continua d'avancer en rampant. Il avait de gros gants de laine, à l'intérieur desquels ses mains avaient retrouvé chaleur et agilité. Il en ôta un qu'il fourra dans la poche de sa veste et sortit son Magnum. Le contact de la crosse d'acier lui gela la main.

Tout en rampant, il essayait de se rappeler où Claire était tombée. Ils étaient déjà sortis de la ville. Ils galopaient au milieu du champ. Non, peut-être se trompait-il. Claire était tombée peu de temps après qu'ils se fussent engagés dans le champ : donc, elle devait se trouver quelque part à la lisière de ce champ.

Le rayonnement de la ville incendiée était à présent plus proche. Reuben entendit quelque chose qu'il ne put identifier, une sorte de grattement sur sa gauche et, s'immobilisant aussitôt, il prêta l'oreille. Rien. Un animal peut-être, un lapin ou une marmotte sortant de son trou. Ou bien le bruit n'avait peut-être existé que dans son imagination. Il reprit sa reptation.

A présent, le rougeoiement de l'incendie colorait la neige. Dans la ville, ou ce qu'il en restait, Bourne aperçut une silhouette se déplaçant sur ce fond lumineux. Il étreignit la crosse de son Magnum, insensible à sa main gelée. Il regarda autour de lui, l'oreille aux aguets, puis se remit à ramper vers la droite, en direction du lieu où Claire avait dû tomber.

Elle n'était pas où il s'attendait à la trouver. Il n'en fut pas surpris, ayant prévu qu'il commettrait certainement plusieurs erreurs de direction avant d'y être. Il entendit de nouveau le grattement sur sa gauche et s'arrêta. Il demeura immobile pendant ce qui lui sembla durer une demi-heure, avant de se remettre à ramper.

Claire n'était pas non plus ici, à la lisière du champ. Il était si près de la ville que la silhouette marchant parmi les décombres pouvait le voir. Il s'était aventuré trop loin. Il avait certainement dépassé Claire. Il fit demi-tour, toujours en rampant. La pensée de Sarah, seule dans la forêt, l'incitait à vouloir retrouver au plus vite le corps de Claire pour l'emporter en un lieu où il pût sinon l'enterrer, du moins lui donner une sépulture provisoire, sous des branches et des pierres, afin que les autres ne la découvrent pas. Mais pour retrouver Claire, il devait garder son calme, procéder sans hâte, avec méthode, en explorant minutieusement les moindres recoins de la lisière de ce champ. Sans hâte, mais sans répit.

Il avait dû aller trop loin, dans l'autre sens. Il était certain qu'il n'était pas si près de la ville lorsqu'ils avaient abattu Claire. Elle devait donc se trouver quelque part derrière lui. De temps en temps, il plongeait ses mains dans ses poches pour les réchauffer. Encore un mètre ou deux, il devait la trouver. De nouveau, il fit demi-tour, s'arrêta, écouta un bruit, repartit. Il ne sut pas à quel moment il s'était mis à pleurer; il sentit seulement les larmes couler sur son visage, chaudes d'abord, puis se glaçant sur sa peau. Il fit de son mieux pour les essuyer, s'éclaircir la vue, mais elles continuèrent de couler et il finit par laisser faire. Ils avaient trouvé Claire. Ils l'avaient trouvée, ça ne faisait aucun doute. Kess attendait probablement d'eux qu'ils lui rapportent une sorte de *preuve*.

Claire n'était plus là.

Se redressant tant bien que mal, Reuben se mit à courir, trébuchant, tombant, se relevant, courant vers les arbres. Il pleurait. Il aurait tant voulu chasser de son esprit l'atroce image. Il se cogna contre un tronc d'arbre et tomba à la renverse.

Il ne sut pas s'il avait perdu connaissance. C'était possible. Il se rendit seulement compte qu'il était étendu dans la neige et que du sang coulait de son nez, lui poissant le visage. Dans l'obscurité, il chercha son cheval, puis revint sur ses pas, s'apercevant qu'il avait pris une mauvaise direction. Finalement, il trouva le cheval, le détacha et parvint à l'enfourcher en se cramponnant à la crinière. Puis il lui pressa doucement les flancs avec ses genoux, en le guidant vers la montagne.

Ils avaient trouvé Claire.

Il ne pouvait plus rien.

Ce ne fut que lorsqu'il s'aperçut que l'obscurité se dissipait qu'il réalisa qu'il avait passé presque toute la nuit à chercher sa femme. Son seul réconfort fut de constater que Sarah dormait profondément. Avec des gestes mécaniques il attacha l'indien à un arbre. S'apercevant que le bai — le cheval de Claire — avait trouvé le moyen de les rejoindre, il l'attacha aussi avant de tomber comme une masse à côté de Sarah, afin de lui donner un peu plus de chaleur. Il passa de la neige sur son visage pour en nettoyer le sang, puis il s'assoupit dans l'attente de l'aube.

Troisième partie

1

Le temps perdit pour lui toute signification. Au début, lorsque les trois hommes étaient venus au chalet et les avaient obligés à s'enfuir dans la montagne, Bourne avait eu grand soin de noter mentalement l'écoulement des jours. Leur fuite avait commencé le vendredi 24 octobre, de cela il était sûr. Le dimanche, Sarah était tombée malade et ils avaient trouvé la cabane avec les provisions. Le lundi, ils avaient découvert la ville. Non, c'était inexact. Ils avaient découvert la ville le dimanche, en fin d'après-midi... Où se trouvait-il? Tant de choses s'étaient passées en si peu de temps que Reuben ne put jamais établir avec certitude quel jour, à quelle date Claire était morte. Ce pouvait être le lundi ou le mardi, voire le mercredi et, à mesure que les jours s'écoulaient pour se transformer presque imperceptiblement en semaines, il finit par y renoncer et décida, de façon tout arbitraire, que Claire était morte le mardi 28. Dès lors, il se mit à compter les jours à partir de cette date, jusqu'à ce que ce souvenir-là aussi devienne embrouillé et que sa mémoire n'arrive plus à savoir quel mois c'était.

2

Sous la neige, la terre avait fait place à la roche sur laquelle les chevaux bronchaient fréquemment et, lorsqu'ils avaient laissé les arbres derrière eux, la pente s'était accentuée, avec pour seule bonne conséquence que plus ils s'élevaient, plus le vent semblait s'apaiser, comme si les parois du défilé se rapprochaient pour mieux les protéger. Puis le terrain devint plan et ils se trouvèrent dans une sorte d'étroit couloir où, la neige ayant cessé de tomber après que le vent y eut soufflé, Reuben put voir par endroits la paroi à nu ainsi que des rochers; en haut de ce couloir le vent faisait encore voler la neige, mais dans le creux il était à peine sensible et, juste en avant d'eux, un peu sur la gauche, un abri de tôle rouillée faisait une tache sombre dans la blancheur environnante. Mais ce n'était pas ce que Reuben cherchait en premier et, supposant que ça devait se trouver à proximité de l'abri, il parcourut du regard les alentours où il découvrit effectivement l'entrée de la mine, un trou à demi caché au bas de la falaise.

Reuben dirigea lentement son cheval de ce côté. Ce qui dissimulait en grande partie le trou, c'étaient des tas de pierres couverts de neige, de part et d'autre de l'entrée. La tôle ondulée de l'abri prouvait que l'exploitation de cette mine était postérieure à l'édification de la ville. Reuben vit un wagonnet renversé contre des débris de rochers, puis devina que la neige devait dissimuler des rails et des traverses. Mettant pied à terre, il donna à Sarah les rênes du bai — il avait abandonné l'indien — en lui disant de l'attendre. Il marcha vers l'entrée du tunnel et trébucha contre un des rails enfouis sous la neige. Il poursuivit son avance en marchant au milieu des traverses. Parvenu à l'entrée de la mine, il regarda les épais madriers étayant l'intérieur du tunnel. Il exerça une forte poussée sur celui qui se trouvait à proximité de l'entrée, prêt à bondir en arrière s'il le sentait céder. Mais l'étai tint le coup et, respirant à fond, Bourne s'aventura prudemment dans le tunnel. Ses pas résonnaient. Au fur et à mesure de sa progression, il vérifiait la solidité des madriers afin de ne courir aucun risque. Il marcha ainsi pendant une dizaine de mètres et, juste à l'endroit où expirait la faible clarté provenant de l'entrée, se heurta à un entassement de pierres, de terre et de madriers, dû à un éboulement. Il fit alors demi-tour.

— Tout va bien, annonça-t-il à Sarah en retrouvant l'air vif de l'extérieur après le confinement du tunnel.

Il aida sa fille à descendre de cheval et conduisit les deux bêtes dans le tunnel.

— C'est là que nous allons nous installer? demanda Sarah.

Il la regarda. C'était une des rares fois qu'elle parlait depuis la veille du jour où Claire était morte. Son visage était toujours aussi vide, mais au moins venait-elle d'exprimer un sentiment, comme si elle espérait connaître un peu de répit dans cet endroit où ils pourraient jouir d'un confort relatif.

— Non, répondit Bourne, car c'est ce qu'ils escomptent que nous ferons. D'après la carte, c'est le seul abri qui se trouve dans les parages.

Sa voix résonnait dans le tunnel.

— J'estime qu'ils ne seront pas ici avant une demi-journée, ce qui nous donne le temps de souffler.

Comme elle ne paraissait pas comprendre, il ajouta :

— Hé quoi, n'as-tu donc pas faim? Nous n'avons pas beaucoup de vivres, mais tant qu'il nous en reste, nous allons faire bombance!

Pour la première fois depuis longtemps, le regard de Sarah s'éclaira légèrement, son visage s'anima un peu, donnant presque à croire qu'elle essayait de sourire.

Reuben ne fit que desserrer les sangles des chevaux, ne voulant pas ôter les selles pour le cas où les autres arriveraient plus vite que prévu, ce qui les obligerait à décamper rapidement. Il s'apprêtait à détacher le sac de couchage dont il avait chargé le *pinto,* avec l'intention d'en envelopper Sarah, quand soudain il se ravisa.

— J'ai du travail pour toi.

Il n'avait pas voulu dire cela aussi sèchement, mais il n'était plus maître de ses intonations. Toutefois, au lieu de démoraliser l'enfant, la perspective d'avoir quelque chose à faire parut la stimuler.

— Quel travail?

— Là, au fond, le tunnel s'est effondré. Tu vas faire bien attention et aller nous chercher du bois, non pas à l'endroit même de l'éboulement, mais à proximité, où tu trouveras plein de morceaux par terre. Ne touche surtout pas à ce qui obstrue le tunnel, ça risquerait de tout faire crouler sur toi.

Du coup, cette mission parut lui faire peur.

— Il n'y a absolument aucun danger. Du moment que tu ne touches pas aux débris qui bouchent le tunnel, tu ne risques rien.

Elle le regarda, pas très convaincue, hocha lentement la tête et, s'engageant sous le tunnel, s'éloigna à contrecœur. Bourne attacha les rênes des chevaux aux traverses de la voie et ressortit du tunnel.

3

La porte de l'abri était fermée par un cadenas. Bourne ne voulait pas la forcer, pour ne pas montrer qu'ils étaient venus là. Bien que le vent se fût calmé, leurs traces de pas s'effaçaient peu à peu et, avec quelque chance, elles pourraient avoir complètement disparu lorsque les autres arriveraient. En faisant le tour de l'abri, lequel ne comportait aucune autre ouverture que la porte, Reuben remarqua un endroit où un panneau de la cloison de bois pouvait facilement être forcé. En tirant dessus, il parvint à se glisser à l'intérieur de l'abri, déchirant au passage l'épaule de son manteau à un clou.

L'abri faisait environ un mètre cinquante sur trois et il entrait suffisamment de clarté par l'ouverture qu'avait ménagée Reuben pour qu'on pût voir à l'intérieur. Un établi sans rien dessus occupait une des parois. Dans un coin se trouvait un moteur dont Reuben eût été bien en peine de deviner l'usage, et d'ailleurs complètement rouillé. Dans un autre coin s'entassaient déchets et débris de toute sorte, de même que sous l'établi. De toute évidence, on devait se servir de cet abri pour y réparer des outils ou y stocker du matériel. Les hommes qui avaient foré le tunnel devaient probablement vivre dans des baraquements ou des tentes dressées sous les arbres, et ils étaient partis dès que le filon avait été épuisé.

Reuben craignait que sa veste eût été déchirée de part en part et donc ne le protégeât plus que médiocrement du froid qui s'insinuerait par cet accroc, mais il constata avec soulagement que la déchirure était superficielle.

Rassuré, il se mit à inventorier les misères entassées dans le coin de l'abri : boîtes de conserve rouillées aux étiquettes devenues illisibles, bouteilles vides, segments de roues dentées, la tête d'un marteau. Comme il se baissait pour ramasser cette dernière, il découvrit, derrière elle, un trou qui avait été le nid d'un mulot. Quelques brins de fourrure grise étaient restés accrochés aux branchages et à l'herbe séchée, mais le nid semblait depuis longtemps abandonné.

Sous l'établi, ses recherches ne furent pas plus fructueuses : des boulons, encore des bouteilles et des boîtes de conserves vides, une paire de bottes de cuir hors d'usage. Mais, tout contre la paroi, Reuben découvrit un vieux chaudron qu'il s'appropria avant de remettre toutes ces choses en place pour qu'on ne s'aperçoive pas de son passage. Il ressortit par où il était entré, en prenant cette fois grand soin de ne pas se déchirer au clou.

Sarah venait de déposer du bois et partait en chercher d'autre quand il la rejoignit.

— C'est pour quoi faire? demanda-t-elle en pointant le doigt vers une plaque de métal qu'il avait ramassée en sortant de l'abri

— Notre cheminée!

Il avait dit cela comme s'il s'agissait d'une plaisanterie, mais ça n'en était pas une. De même qu'il n'avait pas voulu forcer la porte de l'abri afin de ne pas laisser trace de leur passage, il ne pouvait guère faire du feu dans le tunnel, sans risquer de brûler quelques traverses et de noircir la roche. Il lui fallait garder l'endroit exactement comme ils l'avaient trouvé.

— Là, dit-il en posant la plaque de métal sur le sol rocheux, entre les rails et la paroi du tunnel. Nous allons faire du feu là-dessus, ce qui, lorsque nous aurons fini, nous permettra d'enfouir les cendres dans la neige. Ainsi, ils ne sauront pas que nous avons fait cuire quelque chose et nous croiront donc plus affaiblis que nous ne le sommes, si bien qu'ils seront peut-être moins pressés de nous rattraper. Passe-moi un peu de ce bois. Pendant que j'y pense, descends donc ton sac de couchage afin que nous ayons quelque chose d'un peu moins dur pour nous asseoir.

Reuben s'accroupit, cassant les débris de bois en menus morceaux dont il fit un tas sur la plaque de métal, en y ménageant un petit trou, en bas, afin de laisser passer l'air.

— Des allumettes, dit-il, se parlant à lui-même, tout en les sortant de sa poche.

De même que pour le sel, dont il transportait toujours désormais une petite provision sur lui, il avait grand soin d'avoir toujours des allumettes dans ses poches. Il en frotta une, la fit pénétrer dans le trou de sa cheminée improvisée, et attendit que le bois s'enflamme, en vain. Tandis qu'il craquait une seconde allumette, puis une autre encore, Sarah l'observait en retenant son souffle. De la troisième s'éleva une petite flamme qui embrasa un débris de bois et le feu prit. Les chevaux s'agitèrent. Bourne les calma, puis remit du bois sur le feu.

— Mais il ne faut pas en mettre trop, expliqua-t-il à sa fille. Juste quelques morceaux à la fois et qui ne soient pas trop gros. Il ne s'agit pas de chauffer une pièce, mais de faire seulement un peu de cuisine.

Le bois craquait et pétillait, dégageant une légère fumée, quelque peu piquante.

— Ici, durant l'été, ça doit être humide, et le bois a commencé de pourrir. C'est pour cela que nous sentons cette odeur un peu piquante quand il brûle.

Bourne regardait la fumée monter du foyer puis flotter vers le fond du tunnel où elle s'élevait encore davantage avant de refluer vers l'ouverture.

— Parfait! dit-il en ôtant ses gants et se frottant les mains, paumes tournées vers la flamme. Approche-toi du feu, ma chérie, pendant que je vais nous préparer à manger.

Il sortit trois boîtes de conserve de son sac à dos :

— Laquelle? demanda-t-il à Sarah.

Elle répondit que ça lui était égal.

— Choisis quand même.

— La soupe au lard et aux haricots.

— Bonne idée!

Grâce au vieux chaudron récupéré dans l'abri, Bourne put faire bouillir leur soupe lard-haricots avec de la neige fondue.

Ils durent mettre leurs gants pour se passer et repasser la boîte de soupe, soufflant sur son contenu avant d'en absorber un peu. Reuben se brûla le palais, mais la sauce était épaisse, les haricots constituaient quelque chose de solide que l'on avait plaisir à mâcher, et il y avait également des petits bouts de lard d'un brun rougeâtre. A peine eurent-ils le temps de s'en régaler que la boîte était vide.

— J'ai encore faim, dit Sarah.

— Moi aussi, opina son père bien que sachant qu'ils devaient économiser les vivres. Laquelle cette fois? La soupe à la tomate ou les petits pois?

— Je déteste la soupe à la tomate!

— Je le sais, mais tu détestes aussi les petits pois. Alors laquelle?

— Eh bien, peut-être la soupe à la tomate...

— Moi, ça m'est égal. Donc, allons-y pour la tomate!

4

Le fait d'avoir mangé changea tout. Bourne se sentit l'esprit plus clair et le corps plus alerte. Il alla vider leurs cendres dehors, les enfouissant sous la neige. Le vent se mit à souffler plus fort. Tant mieux, cela effacerait les traces laissées par les chevaux dans la neige pour arriver jusqu'à la mine. Lorsqu'il se fut assuré que les chevaux n'avaient pas fait de crottin, et qu'il eut éparpillé le surplus de petit bois au fond du tunnel obstrué, de façon à ce qu'il retrouve son apparence première, il fut convaincu que les autres auraient bien du mal à déterminer si Sarah et lui s'étaient arrêtés là ou non. Il ajusta de nouveau les sangles des chevaux, détacha leurs rênes et les conduisit hors du tunnel. Là, il aida Sarah à monter sur le *pinto*, puis il enfourcha le bai. Après avoir obliqué à gauche, en contournant l'abri de tôle ondulée, ils eurent le vent dans le dos. Puis ils traversèrent le col.

Des pierres recouvertes de neige roulaient sous les sabots des chevaux, s'enfonçant dans l'herbe morte et les aiguilles de pin. Ils dépassèrent un arbre, puis un autre, et se retrouvèrent de nouveau dans la forêt où ils virent deux cabanes aux toits effondrés envahies par la neige, lesquelles confirmèrent ce qu'avait supposé Reuben : c'était là que logeaient les hommes de la mine. Dans ce secteur, la neige était plus haute, arrivant presque aux genoux des chevaux. Bourne décida d'obliquer sur la droite et de progresser sur le flanc de la pente au lieu de la descendre par le milieu, pour éviter de s'enliser dans une neige trop profonde. Ce mode de progression les protégerait aussi du vent.

Cette fuite en avant devenait monotone. L'effet tonique du feu et des soupes chaudes se dissipant peu à peu, Reuben sentait son cerveau et son corps s'engourdir de nouveau sous l'action conjuguée du froid, de la neige et du vent. Auparavant, la perspective d'atteindre la mine l'avait stimulé. N'ayant plus d'autre but dans l'immédiat, son attention se relâchait, ses pensées s'égaraient. Il serra plus étroitement son manteau autour de lui et remua les mains, à l'intérieur de ses gants, pour les réchauffer.

Ils allèrent ainsi durant tout le reste de l'après-midi et une partie de la soirée; Bourne n'arrivait pas à discerner si le changement de clarté provenait de la tombée du jour ou des nuages gris qui devenaient de plus en plus nombreux et sombres, au-dessus de leurs têtes, à mesure qu'ils avançaient. Les arbres aussi se faisaient plus denses autour d'eux, si bien que son champ visuel se rétrécissait et s'obscurcissait sans cesse. Il allait devoir décider où passer la nuit. A vrai dire, il n'y avait guère de choix : un abri de fortune sous des branches de sapins, assez basses et feuillues, pour les protéger du vent et du froid.

De toute façon, ils ne pouvaient continuer plus longtemps ainsi, il allait très bientôt faire nuit. Aussi s'arrêta-t-il lorsqu'il vit deux arbres déracinés dont les troncs épais formaient une tranchée protectrice en forme de V. Il attacha les chevaux, les libéra de leurs selles qu'il rangea sous les arbres, dans la partie large du V, entassant de la neige sur elles pour s'abriter du vent. Derrière ce rempart, il étendit des couvertures sur lesquelles il déroula le sac de couchage où il aida Sarah à s'introduire. Ceci fait, il changea les chevaux de place, les attachant plus près de l'ouverture du V afin qu'ils contribuent à les protéger un peu mieux du vent. Il leur laissa assez de longe pour qu'ils puissent creuser la neige de leurs sabots, et trouver de l'herbe en dessous.

Reuben ne dormit guère. Il s'était enfoncé, près de Sarah, dans le sac de couchage dont il remonta la fermeture à glissière. Il s'y sentait comme dans un cocon le défendant du froid et, se collant à Sarah, il l'entoura de ses bras pour lui tenir chaud. Ça lui faisait une curieuse impression de sentir ses gros souliers, durcis par la neige, peser contre le fond du sac de couchage, tandis que ceux de Sarah lui cognaient les genoux chaque fois qu'elle bougeait. Mais il ne pouvait courir le risque de ne plus pouvoir les renfiler si jamais il se déchaussait par ce froid. Il s'était donc contenté d'en desserrer les lacets, puisant un peu — mais vraiment très peu — de réconfort à sentir le sang mieux circuler dans ses pieds. Comme le vent devenait plus fort avec la nuit, ils s'enfoncèrent plus profondément dans le sac de couchage, baignant dans la tiède moiteur de leurs respirations, au point que Reuben éprouva le besoin de sortir un peu la tête. Mais, aussitôt assailli par le froid vif qui lui glaça l'intérieur du nez, il s'engloutit de nouveau dans le sac.

Les loups le réveillèrent. D'abord peu nombreux ils étaient maintenant toute une bande, semblait-il, hurlant sur la droite, au-dessus d'eux. N'ayant toutefois aucun moyen d'apprécier les distances, il en déduisit que le vent devait amplifier l'écho de leurs hurlements. Les chevaux s'agitaient nerveusement. L'espace d'un instant, Reuben envisagea de resserrer leurs liens, mais il avait déjà fait de son mieux à cet égard et ne pouvait quand même point passer toute la nuit debout près d'eux.

— Qu'est-ce que c'est? demanda Sarah, à demi assoupie.

— Le vent.

— Non, ces bêtes qui crient...

— Des loups, mais ils sont loin. Ne t'inquiète pas.

Il dégaina toutefois son Magnum et le garda toute la nuit

à portée de sa main, somnolant puis se réveillant en sursaut chaque fois qu'un des chevaux s'énervait, puis s'assoupissant de nouveau. Quand, finalement, il se réveilla, la neige avait franchi le rempart de leurs selles et il la sentit peser sur le sac de couchage avant même de comprendre ce que c'était. Il donna des coups de genoux contre la paroi du sac afin de la rejeter, ce qui réveilla Sarah. Lorsqu'il s'extirpa du sac, le froid mordant du petit matin le frigorifia sur place. Le soleil n'était pas encore visible. Tout baignait dans une épaisse grisaille. Bourne plissa les yeux pour voir s'il avait de nouveau neigé, durant son sommeil. Mais non, apparemment la neige ne tombait plus. Comme il se tournait du côté des chevaux, Reuben constata que le *pinto* n'était plus là, sans qu'il sût dire quand ni comment il avait pu s'enfuir. La grosse branche de l'arbre déraciné à laquelle il l'avait attaché n'était pas brisée et Reuben était sûr de la solidité de son nœud, mais il se rendit compte que, à force de tirer sur la corde qui le retenait, le cheval avait brisé une petite branche perpendiculaire à l'autre; dès lors, plus rien n'avait empêché la corde de glisser jusqu'au bout de cette dernière. D'ailleurs, puisque le cheval n'était plus là, peu importait la façon dont il s'était enfui. Le vent avait effacé ses traces sur la neige, si bien qu'il était impossible de partir à sa recherche; les loups devaient l'avoir dévoré à l'heure qu'il était.

Comme Bourne regardait à travers la forêt, ses yeux captèrent un mouvement sous les branches basses d'un sapin : un loup se faufilait entre le tronc du sapin et une congère. Reuben prit son Magnum en main, prêt à tirer. Puis il reconnut le chien du vieux. Malgré cela, il failli l'abattre. Ce qui le retint de le faire fut la crainte qu'un de leurs poursuivants entendît la détonation.

— Mon cheval n'est plus là, dit Sarah.

— Mais nous avons une autre compagnie, lui répondit-il en montrant le chien. Ne t'en approche pas. Roule plutôt le sac de couchage.

Tandis que la fillette roulait le sac en boule, lui-même disposa les deux couvertures sur le bai. Puis, ayant enfoui une des deux selles dans la neige, il fixa l'autre sur le cheval. En contraste avec le vent qui avait soufflé durant la nuit, l'air était maintenant comme figé. Sous les branches du sapin, à une cinquantaine de mètres, le chien les observait. Sans paraître respirer ni cligner des yeux, il attendait, immobile. Bourne fit un rouleau de la corde qui avait tenu lieu de longe au cheval et l'attacha à la selle. Ramassant ensuite les sacs qu'avait porté le *pinto,* il les ajouta à ceux qui chargeaient déjà le bai. Puis, soulevant Sarah, il la mit en selle, monta en croupe derrière elle et mit le bai au trot. Par souci d'économie, ils n'avaient rien mangé la veille au soir, estimant que la soupe absorbée dans la mine devait leur suffire pour la journée. Alors, Reuben partagea avec Sarah quelques languettes de viande séchée, qui était à peu près tout ce qui restait de leurs provisions. Elles étaient froides et cassantes, il fallait attendre un moment pour qu'elles se ramollissent dans la bouche. Regardant derrière lui, Bourne vit que le chien avait quitté son refuge, sous le sapin, et bondissant, s'enfonçant dans la neige qui lui arrivait à la poitrine, il finit par atteindre la piste tracée par le bai où, dès lors, il les suivit à distance.

5

Le chien maintint constamment entre le bai et lui une distance d'une cinquantaine de mètres. A un moment donné, regardant par-dessus son épaule, Reuben ne le vit plus. Puis, il constata que le chien les suivait de nouveau.

— Pourquoi t'arrêtes-tu? questionna Sarah.

Le chien s'était arrêté aussi et attendait, assis sur son derrière, mais les pattes droites, prêt à repartir.

Bourne pressa les flancs du bai, qui se remit en marche. Aussitôt le chien fut debout. Bourne accéléra le train, et le chien fit de même. Craignant d'épuiser le cheval, Bourne tira alors sur les rênes pour le ramener au pas, et le chien ralentit aussi.

Entre-temps, le vent avait repris, soufflant de côté et faisant voler la neige, mais jamais à plus d'un mètre, si bien que Reuben continuait d'y voir clair et de distinguer autour de lui les frondaisons vert sombre des sapins. A part elles, tout était caché par la neige. Un regard en arrière : plus de chien. Quand le vent se calma, Reuben regarda de nouveau derrière lui : toujours pas de chien.

Et puis, un moment plus tard, il était de retour.

Ils continuèrent de la sorte, le chien tantôt là, tantôt disparaissant, mais n'avançant jamais à moins d'une cinquantaine de mètres derrière le cheval. Cette nuit-là, Bourne fut contraint de camper dans une dénivellation, entre des arbres, le seul endroit à peu près praticable qu'il pût trouver. Il ne voulait toutefois pas s'abandonner au sommeil. Etendu dans le sac de couchage, il veillait sur Sarah, le Magnum près de sa main; quant à la corde tenant lieu de longe au cheval, après l'avoir enroulée plusieurs fois autour d'un arbre, il l'avait attachée à son poignet afin qu'il ne risque pas de s'échapper s'il venait à s'endormir malgré lui.

Il dut probablement s'assoupir mais, s'il le fit, il n'en eut pas conscience; tout ce qu'il sut, c'est que soudain il faisait jour, que le bai était toujours là et le chien toujours à la même distance, couché sous un arbre. Reuben sella le bai. Ils repartirent, suivis par le chien. Le vent, plus fort que la veille, rabattit contre eux des rafales de neige tout l'après-midi. Et cela faisait... Il n'était plus sûr de rien, mais cela devait faire trois jours que le bai n'avait rien mangé. Aussi avançait-il plus lentement, d'un pas mal assuré, et Reuben compris qu'il ne pourrait plus tenir bien longtemps. A un passage difficile, le cheval chut sur les genoux et Reuben eut beaucoup de mal à le faire se relever.

Après cet incident, le chien se rapprocha un peu.

La neige, qui tombait, réduisait son champ de vision, mais Reuben continuait de voir le chien derrière eux, l'animal ayant sans doute raccourci la distance qui les séparait pour se guider sur eux à travers les rafales de neige.

Ces flocons serrés, que le vent violent faisait tourbillonner, rendaient le ciel, la terre, l'air tout du même gris passé, et les arbres dans lesquels il leur arrivait de se cogner n'étaient pas visibles à trente centimètres. A tout instant, ils risquaient l'accident, ou même une chute mortelle. La neige gelait sur leurs visages. Le cheval n'avançait plus qu'à grand-peine, et, lorsqu'il s'effondra une seconde fois, Bourne sut que c'était la fin. Sarah et lui roulèrent sans mal dans la neige, car il avait eu le réflexe de tirer sa fille avec lui pour qu'elle ne fût point écrasée sous le cheval. Ils restèrent un long moment comme des gisants dans la neige; Reuben tenait encore les rênes dans sa main, mais, si proche de lui que fût le cheval, il n'arrivait pas à le voir. Il parvint à se remettre debout, s'empêtrant dans la neige. Aussitôt il s'employa à relever le cheval mais le vent couvrait ses cris. Quand il fut enfin parvenu à le remettre sur ses pattes, Reuben constata qu'il ne voyait plus Sarah. L'ayant retrouvée à tâtons, il la tira avec lui dans le trou creusé par la chute du cheval. Haletant, épuisé, il pensa au chien, l'espace d'un instant, avant de remarquer que le vent était tombé.

Mais non, le vent soufflait toujours autant : ils le sentaient tout simplement moins parce qu'ils se trouvaient enfoncés dans la neige, comme dans une sorte de tranchée dont les parois les protégeaient des flocons propulsés au-dessus de leurs têtes. Tout à coup Reuben eut une idée. Ce serait peut-être la dernière idée qu'il aurait ici-bas, mais il s'imposa de se relever pour la mettre à exécution.

— Creuse! dit-il à Sarah.
— Mes mains!
— Creuse, bon sang!
Il donna l'exemple, puis saisit les mains de Sarah pour lui montrer comment faire, creusant la neige du trou avec ses bras. Au bout d'un moment, il eut un espace suffisamment profond pour y pousser Sarah, puis il s'employa à l'agrandir pour que lui-même pût y prendre place. Cela fait, ils se blottirent l'un contre l'autre dans un trou de un mètre vingt sur deux mètres environ. Là, le vent était à peine sensible. Reuben respirait mieux, d'une manière moins saccadée.
Il ressortit de cet abri pour examiner l'état du bai qui respirait faiblement et était pris de tremblements dès qu'on le touchait. De toute façon, ce cheval allait mourir, et il ne méritait pas qu'on le laissât agoniser dans la neige. Reuben ôta son gant de laine et prit son Magnum. Les rafales de neige l'aveuglèrent et l'empêchèrent de situer la tête du bai; il tâtonna jusqu'à ce qu'il touche l'endroit où le maxillaire remonte vers l'oreille; juste derrière celle-ci, il trouva l'endroit vital qu'il cherchait. Il y appliqua le canon du Magnum et tira. Le cheval se rejeta contre lui, le faisant tomber à la renverse dans la neige. Sarah hurla. Reuben faillit renoncer; mais il ne put endurer l'idée de n'avoir peut-être pas tué le cheval, le condamnant à la pire agonie. Il rampa donc vers le bai effondré, chercha la tête et tira une seconde balle. Ce fut à peine si la détonation s'entendit au sein de la tourmente et, cette fois, Reuben eut la certitude que le cheval était mort. Alors il s'estima satisfait.
Sarah ne dit rien sur le moment. Silencieuse, elle le regarda desserrer les sangles et retirer la selle.
— Tu as tué le cheval, lui-dit-elle.
— Je ne pouvais pas le laisser souffrir.
Et il y avait quelque chose d'autre encore, dont Reuben ne savait comment Sarah allait le prendre, mais il se devait d'être franc avec elle.

— Nous allons le manger. Ça nous permettra de survivre.

Il creusa à nouveau le trou afin de faire de la place pour y installer la selle, près des sacoches et du sac de couchage; jetant un coup d'œil à sa fille, il constata que la perspective de manger le cheval semblait la laisser indifférente. Sans doute était-ce de la nourriture, mais pas de la nourriture à manger tout de suite, alors elle avait le temps de s'en effrayer...

Bourne fit encore un voyage pour récupérer les couvertures de selle. Il les étendit sous eux, puis fit entrer Sarah, avec lui, dans le sac de couchage. La selle leur tint lieu d'oreiller.

Une chose encore. Il restait toujours quelque chose à faire.

— Tiens, dit-il à sa fille, sers-toi des sacoches en guise de traversin. Et voici un peu de viande séchée.

C'étaient les deux derniers bouts! un pour elle, un pour lui. Il mordilla le sien, en gardant longuement un morceau dans sa bouche, tel un bonbon, pour le ramollir et pouvoir le mâcher.

6

Leur abri ressemblait à un igloo.

Il n'aurait su dire à quel moment il s'était endormi, mais il éprouvait des difficultés à respirer, ce qui le réveilla. Il ouvrit les yeux dans les ténèbres et comprit que la neige avait obstrué leur abri. Il dégagea l'entrée. Il faisait nuit. Le vent lui cingla le visage. Il se hâta de se renfoncer dans le trou, conscient que la neige n'arrêterait pas de tomber. Après avoir aspiré quelques goulées d'air glacé, il fut heureux de retrouver l'intérieur de l'abri, tiédi par leurs haleines. N'entendant rien du côté de Sarah, il la toucha et, constatant qu'elle respirait, se blottit de nouveau sous le sac de couchage, là où s'était accumulée la chaleur émanant de son corps. L'ouverture de l'abri s'obstrua encore durant la nuit. Dès son réveil, Reuben s'occupa aussitôt de la dégager. Cette fois, la tempête avait cessé. Ce n'était plus la nuit, mais le jour. Le ciel d'un bleu intense, était sans nuages, et la neige réverbérait le soleil avec tant d'éclat que, au sortir des ténèbres de leur igloo, Reuben dut baisser la tête en fermant les yeux.

— Réveille-toi, c'est le matin, dit-il en rampant auprès de Sarah.

Elle ne bougea pas.

— Réveille-toi, mon petit. Sa-rah!

Mais elle ne réagit toujours pas. Pris d'une soudaine frayeur, il la saisit sous les bras, la tira jusqu'à la sortie de l'igloo. Il la secoua et vit ses paupières frémir, ses narines palpiter sous l'effet de l'air glacé. Elle avait dû s'asphyxier à demi dans l'atmosphère confinée du trou. Ou bien, tout simplement, elle était exténuée. De toute façon, il fallait la réveiller. Il lui tapota le visage, lui souleva une paupière; alors, levant un bras elle tenta faiblement de repousser sa main.

— Je sais, dit-il, ça fait mal, cette lumière. Mais nous y remédierons. Pour l'instant, ce qu'il faut, c'est que tu boives un peu d'eau. Tout va bien aller. Tu m'entends?

Elle hocha vaguement la tête mais il était clair qu'elle ne le croyait pas.

— Si, c'est vrai! Ecoute... Aussi longtemps qu'on a de l'eau, on peut survivre. Des calculs ont été faits pour les gens qui se perdent, comme nous. Sans eau, on ne peut guère subsister plus de trois jours, mais on peut tenir trois semaines sans nourriture, à condition d'avoir de l'eau. Evidemment, après tout ce temps, tu n'es plus que l'ombre de toi-même et tu n'as plus beaucoup de chair sur les os, mais tu es toujours en vie. Or, de l'eau, nous ne risquons pas d'en manquer avec toute cette neige autour de nous.

Grâce à Dieu! Et comme nous avons la viande du cheval pour nous nourrir, nous allons très bien nous en tirer. Tu comprends ce que je te dis?

Elle acquiesça de nouveau, cette fois avec un peu plus de conviction, et prenant une poignée de neige, elle la porta à sa bouche.

Il l'arrêta aussitôt!

— Non, ça n'est pas ce que je veux dire. Je te l'ai déjà expliqué : pour fondre dans ta bouche, la neige te prend trop de chaleur. Ce qu'il nous faut faire, c'est arranger notre trou, l'agrandir, le rendre plus solide, assez vaste pour que nous puissions y allumer du feu.

Là, il sentit que c'était gagné. L'idée du feu fit briller les yeux de Sarah, et quand elle se fut reposée, quand il fut certain qu'elle avait récupéré, ils rampèrent à l'intérieur de leur abri où ils se mirent à l'œuvre. Reuben s'employa à arrondir le plafond afin qu'il résiste mieux à la pression, puis il creusa les parois pour avoir plus d'espace. Sarah, elle, évacuait la neige par l'ouverture, l'entassant ensuite de chaque côté, comme le lui avait montré son père, pour constituer des abrivents. Bourne ne se tracassait plus au sujet de leurs poursuivants. Il était tombé maintenant une telle épaisseur de neige qu'on ne pouvait guère marcher loin ni longtemps. Il ne s'inquiétait même plus du chien, et il eût parié que les autres étaient persuadés qu'ils avaient tous deux péri dans la tempête.

Normalement, ils auraient dû périr. Il s'en était d'ailleurs fallu d'un rien. Mais, à présent, tout allait s'arranger, se répétait-il pour s'en persuader. Il faudrait simplement se donner beaucoup de mal. Il n'osait pas penser combien de temps l'hiver risquait de durer, à cette altitude, ni quelle hauteur la neige pourrait atteindre, ni jusqu'à quand la viande du cheval leur permettrait de subsister. Pour ne pas être obsédé par ces pensées, il se concentrait sur son travail, améliorant sans cesse leur abri. Un instant, il s'était demandé s'il n'aurait pas mieux valu faire tout de suite du feu afin que Sarah pût boire de la neige fondue; à la réflexion, il avait estimé que non, que la tempête pouvait reprendre d'un moment à l'autre et qu'il importait donc d'avoir un abri solide avant de faire du feu.

Rampant hors du trou, il s'en fut jusqu'à la masse du cheval pétrifié par le froid. Puisque tout était à faire, autant commencer par ça.

Reuben se demanda comment s'y prendre, car ce fut à peine si son couteau de chasse entama la peau durcie. Remarquant alors qu'une des jambes du cheval se tendait de côté, telle la branche d'un arbre, il eut une idée. Rassemblant son énergie, il sauta dessus à pieds joints pour qu'elle se brise à hauteur du genou. Il dut s'y reprendre à trois fois avant d'entendre le craquement de l'articulation. Il attaqua alors la jambe au couteau, en se demandant si le tranchant de la lame n'allait pas très vite s'émousser. Près d'une heure lui parut s'écouler avant qu'il estimât pouvoir sauter de nouveau sur la partie inférieure de la jambe qui, cette fois, se détacha. Quand il la ramassa, il eut l'impression de tenir une massue se terminant par le sabot et le fer.

— Mets ça à l'intérieur, dit-il à Sarah.

Elle répugnait visiblement à toucher ce membre d'animal amputé.

— Prends-le donc, ça ne te mordra pas! Il faut que j'aille nous chercher du bois.

Leur igloo se trouvait dans une dénivellation festonnée de sapins, dont le plus proche était environ à quatre mètres, mais la couche de neige était si profonde que le franchissement de ces quatre mètres relevait d'un travail herculéen. La neige s'insinua partout, en lui, dès qu'il essaya de marcher en avançant un pied après l'autre.

Mon dieu, pensa-t-il, il va falloir que je creuse une tranchée.

Mais il ne s'en sentait pas la force.

Comme il était résolu à atteindre l'arbre, il poursuivit ses efforts pour déplacer la neige et, ce faisant, son manteau fut accroché par quelque chose. Creusant autour, il vit que c'était un bout de branche... Non, pas le bout, mais l'extrémité cassée d'une branche. Continuant de creuser, en suivant la branche, Reuben arriva au tronc massif d'un arbre abattu, un arbre qui avait été constamment là, à portée de ses mains. Il lui suffisait de se pencher pour le saisir. En s'y accrochant, il se hâla par les bras et toucha l'extrémité d'autres branches du sapin.

Mais elles étaient toutes vertes; il lui fallait accéder aux branches enfouies, dont certaines devaient être mortes. Elles lui procureraient du menu bois et des aiguilles desséchées qui l'aideraient à allumer le feu. L'arbre avait chu au flanc de la dénivellation si bien qu'en se hissant le long de la branche comme il aurait fait pour monter à la perche, Bourne atteignit un endroit où il n'eut de la neige que jusqu'aux cuisses. Là, il se trouva aussi parmi les autres branches. Il se mit à casser des branchettes qu'il fourra dans ses poches, avec des poignées d'aiguilles desséchées. Il réussit même, au prix d'un grand effort, à sectionner une branche morte d'où partaient plusieurs rameaux plus petits. Il y avait là de quoi allumer un feu et l'alimenter pendant un certain temps, mais Reuben ne tenait pas à refaire ce voyage plus souvent que nécessaire; aussi, se mit-il en quête d'autres branches mortes, dont plusieurs cédèrent à ses tractions. Toutefois arriva le moment où, hors d'haleine, il dut s'arrêter. Se laissant tomber dans la neige, il rassembla les branches cassées et les jeta l'une après l'autre vers l'entrée de l'abri où Sarah les mettait en tas. Pour les plus petites, cela ne présentait guère de difficulté, mais les plus grosses qui conservaient des vestiges de ramilles semblaient flotter dans l'air et elles retombaient à mi-chemin. Il lui fallut donc les lancer de nouveau avant de pouvoir rejoindre enfin Sarah qui, de son côté, avait presque fini de les entasser. Bourne se sentit alors exténué à un tel point qu'il dut s'asseoir près de l'entrée, n'arrivant pas à recouvrer sa respiration, cependant qu'il était trempé de sueur et que sa gorge était brûlante. Il lui fallut se contenter de regarder Sarah casser les menues branches se trouvant encore sur les grosses pour les ajouter à son tas de petit bois. Quand elle eut terminé, il retrouva un peu de force pour casser les grosses branches en sautant dessus.

Lorsque ce fut fini, le soleil avait beaucoup décliné, l'air était plus froid, glaçant la sueur sur la peau de Reuben et le faisant frissonner. Aussi fut-il bien aise de regagner l'intérieur de leur terrier pour y allumer enfin du feu, se réjouissant par avance de la chaleur et de l'odeur de viande grillée.

Mais il restait toujours quelque chose à faire. En effet, dès qu'il eut recouvert la plaque de métal d'une couche d'aiguilles desséchées, sur quoi il posa des branchettes puis des morceaux de bois plus épais, il s'aperçut qu'il avait oublié de prévoir l'évacuation de la fumée. Il n'y en aurait peut-être pas beaucoup, mais ce serait suffisant pour les faire suffoquer et il lui fallait y remédier.

Tout d'abord, il pensa enfoncer deux branches droites à travers le toit de l'abri et faire ainsi une manière de cheminée. Mais, en sautant dessus, il avait cassé les branches en morceaux trop courts pour la réalisation de ce plan qui, par ailleurs, risquait de faire crouler le toit.

Il devait trouver un autre moyen.

Mais ce moyen lui crevait les yeux! C'était l'arbre qui l'avait aidé à constituer le fond de l'abri. Rampant jusqu'à lui avec une branche d'environ un mètre, il se mit à creuser un petit trou le long du tronc. Lorsque ce trou eut atteint la longueur de la branche, Bourne dut se mettre sur le dos et lever les bras pour creuser plus avant. La neige lui tombait sur la figure et il devait sans cesse l'essuyer, cependant que les yeux lui piquaient. Soudain, plus tôt qu'il ne s'y attendait, il vit la clarté du jour, une clarté d'un vert grisâtre, filtrer jusqu'à lui.

Il retourna en rampant vers l'âtre improvisé, frotta une allumette et la glissa au milieu des aiguilles mortes, qu'il regarda pétiller et s'embraser rapidement. Puis les branchages prirent feu à leur tour et leurs flammes légères vinrent lécher les morceaux de bois gros comme le doigt. De ce côté, tout allait bien; restait à voir si la cheminée fonctionnait. Bourne regarda la fumée grise monter vers le dôme du plafond. La résine la rendait odorante, mais elle mettait trop longtemps à s'accumuler de façon suffisante pour que Reuben pût voir si elle s'en allait par la cheminée. Il ajouta au feu de menus branchages et deux morceaux de bois plus importants qui, quelques instants plus tard, s'enflammèrent aussi. Il allait donc pouvoir garnir son feu de façon plus consistante, afin de n'être pas obligé de l'alimenter constamment.

Mais odorante ou non, la fumée commençait à les faire tousser, Sarah et lui. Il s'aperçut alors que le dôme ménagé par ses soins, dans le plafond, pour leur permettre de se mouvoir plus aisément se trouvait plus haut que l'entrée de la cheminée, ce qui obligeait la fumée à redescendre sur eux avant de s'évacuer. Il avait la tête tellement vide, à cause de la fatigue et de la faim, qu'il lui fallut réfléchir bien longtemps, lui sembla-t-il, avant de voir ce qu'il devait faire : prendre un morceau de bois et racler, dans le plafond, un couloir reliant le dôme à l'entrée de la cheminée. Après ça, la fumée s'évacua facilement et il n'y en eut presque plus à l'intérieur de l'abri. Tandis qu'il ajoutait du bois à son feu, Reuben s'avisa de l'avantage supplémentaire qu'il y avait à ce que le conduit de la cheminée longeât le tronc de l'arbre. Si les autres continuaient leurs recherches, ils ne pourraient pas repérer cette fumée qui, cachée par les branches de sapin, se dissiperait sous le couvert des arbres.

Mais il ne fallait pas qu'il se mette à penser aux *autres*.

— Comment te sens-tu? demanda-t-il à Sarah.

— Bien.

Elle n'en avait cependant pas l'air. Frissonnante, le visage blême, elle chauffait ses mains tout près du feu. Reuben n'imaginait que trop bien à quel point la tension de ces derniers jours, s'ajoutant à sa dénutrition, avait pu affaiblir la fillette.

— Tu te sentiras mieux quand tu auras mangé.

Reuben rampa vers les sacoches, en sortit la boîte de petits pois, se réjouissant qu'ils l'eussent gardée lorsqu'ils avaient « festoyé » dans le tunnel de la mine et regrettant bien qu'il ne leur restât pas aussi une des boîtes de soupe. A l'aide du couteau, il perça deux trous dans le couvercle tandis que Sarah tenait la boîte. Mais quand il voulut ensuite découper le couvercle, le contenu qui avait gelé retint le couteau. Il lui fallut poser la boîte près du feu et attendre pour terminer son travail que le liquide se trouvant à l'intérieur eût suffisamment fondu.

Ce fut ensuite le morceau de jambe du cheval qu'il approcha des flammes, en calculant la distance pour qu'elle se dégelât sans que la peau se mît à brûler pour autant. Au bout d'un moment, le contenu de la boîte étant redevenu presque normal, Bourne y ajouta du sel. Il tournait et retournait la viande, vérifiant avec ses doigts la progression du dégel. Puis les petits pois se mirent à bouillir, une vapeur parfumée s'échappa de la boîte. Reuben les éloigna alors de l'âtre pour qu'ils refroidissent un peu, après quoi il confectionna tant bien que mal deux cuillères plates avec des petites branches. Sarah et lui les plongèrent dans la boîte pour se servir de petits pois, sur lesquels ils soufflaient doucement avant de les porter à leurs bouches et les mâcher. Les ersatz de cuillers ne leur étaient pas d'un grand secours et, à vrai dire, leur compliquaient plutôt la tâche, mais cela occupait leurs mains en attendant que le liquide contenu dans la boîte fût suffisamment refroidi pour qu'ils pussent le boire. Et puis Reuben ne tenait pas à manger trop vite.

— Mâche lentement tes petits pois, dit-il à sa fille. Non seulement pour faire durer le plaisir, mais aussi parce que nous sommes restés longtemps sans absorber de nourriture et que nous les vomirions aussitôt si nous ne prenions la précaution de les mâcher longuement. Mâche-les jusqu'à ce qu'ils ne soient plus, dans ta bouche, que du liquide.

Reuben examina la viande. Elle s'était suffisamment ramollie pour qu'il pût l'entailler avec son couteau. Il fendit la jambe du cheval depuis la jointure du genou jusqu'au-dessus du sabot, tirant ensuite sur la peau de chaque côté, afin de la séparer de la chair. Il arriva à un endroit où la peau était encore relativement gelée et il la présenta de nouveau au rayonnement du foyer.

— Je pense que le jus des petits pois doit être maintenant suffisamment refroidi pour que nous puissions le boire. Commence, toi.

Il regarda sa fille tandis qu'elle aspirait une gorgée de liquide, la faisait tourner dans sa bouche, puis l'avalait.

— Très bien... prends ton temps... Ce n'est pas le temps qui nous manque, Dieu sait!

Entre-temps, la jambe du cheval s'était complètement dégelée et il put en recueillir toute la peau; après quoi, il étala près du feu la viande ainsi dépiautée.

— Bois encore une gorgée, dit-il à Sarah.

Puis il but à son tour.

7

Ils procédaient à leur second essai assis sur une épaisse branche de sapin bien verte qu'ils utilisaient à la façon d'un traîneau, lorsqu'ils entendirent l'hélicoptère.

L'idée du traîneau était venue à Reuben en regardant la surface glissante de la neige; après avoir fait cuire et mangé encore un peu de viande, il s'était servi d'un gros morceau de bois pour tailler des marches au flanc de la dénivellation, jusqu'à un sapin proche du sommet. Tous deux se suspendirent à l'une des branches et parvinrent ainsi à la briser. L'ayant retournée, ils s'assirent sur la partie la plus large et la plus fournie de la branche dont la pointe était dirigée vers le creux de la dépression. Sarah s'était assise derrière lui et le tenait par la taille. Ils dévalèrent ainsi la pente à toute vitesse tandis que l'air vif les suffoquait; l'élan leur fit même remonter un peu l'autre versant avant que le traîneau improvisé s'immobilisât et repartît en arrière, en direction du trou.

Ils éclatèrent de rire. Sarah voulut recommencer ce jeu. De nouveau ils gravirent les marches puis s'apprêtèrent à glisser sur la branche, lorsque Reuben entendit l'hélicoptère. Il fit aussitôt obliquer leur traîneau vers un sapin, sous les branches duquel il tira vivement Sarah qui ne lui demanda aucune explication, elle avait elle aussi entendu.

Recroquevillés sous l'arbre, ils regardèrent à travers les branches dans la direction du bruit. Reuben ne vit rien. L'hélicoptère pouvait être aussi bien à droite qu'à gauche ou au-dessus de leurs têtes. Peut-être même y en avait-il deux qui, survolant la dénivellation, allaient d'un instant à l'autre les repérer.

Non, il n'y en avait qu'un. A présent, Reuben le voyait là-bas, au fond de la vallée, volant de gauche à droite, petit point brillant qui, heureusement, disparut. Puis il reparut.

Il observait l'hélicoptère, qui était maintenant plus gros, plus proche; il distinguait vaguement la cabine transparente et la petite hélice arrière. L'appareil se rapprocha. Il vit les pales du rotor briller au soleil, cependant que le bruit du moteur devenait assourdissant. Il aperçut deux hommes dans la cabine, et il se dit : « Je dois faire quelque chose... Je ne peux pas rester simplement là à attendre... il doit y avoir quelque chose à faire. »

Mais non.

Il n'avait aucun moyen d'effacer les traces de leur présence, car la neige était gelée. Eût-elle même été molle qu'il aurait laissé d'autres traces en effaçant les premières. Et le cadavre du cheval aussi se voyait clairement au milieu de la neige. Rien de cela ne pouvait leur échapper et de toute façon il n'avait plus le temps d'agir car, poursuivant son manège, l'hélicoptère n'était plus maintenant qu'à une centaine de mètres. Sarah s'accrochait à son manteau. Reuben sortit son Magnum. Il visa l'hélicoptère, le prenant dans sa ligne de mire tout en s'efforçant de calculer à partir de quelle distance il lui serait possible d'atteindre un des types dans la cabine. Il ne voulait pas tirer car, ce faisant, il montrerait qu'ils étaient toujours vivants et signalerait leur position. Mais il ne voyait pas comment faire autrement. Les types de l'hélicoptère allaient repérer leur présence, et Dieu sait ce qui arriverait...

Bourne réalisa que même si, par chance, il réussissait à abattre ces oiseaux de proie, les autres n'en sauraient pas moins qu'il avait survécu. En effet, ne voyant pas rentrer l'hélicoptère à sa base, ceux qui s'acharnaient à le persécuter enverraient d'autres hommes à bord d'un autre hélicoptère. En outre, il ne voyait pas comment il pourrait dissimuler les débris de l'appareil, à supposer qu'il puisse le faire s'écraser en étant seulement armé d'un colt Magnum. Donc, il était inutile de tirer pour les empêcher de le repérer et il ne ferait feu que pour se défendre. Il attendit.

L'hélicoptère disparut de nouveau.

Toutefois, Bourne entendait distinctement le moteur, au-dessus d'eux, sur la gauche. Mais le bruit ne s'amplifiait ni ne diminuait, comme si l'appareil faisait du surplace pour mieux observer quelque chose. Puis le vrombissement s'amplifia en se rapprochant, et Reuben pensa : « Cette fois, ça y est! » tout en pointant son Magnum sur l'appareil redevenu visible, et qui se dirigeait vers la droite.

Mais au lieu de venir sur lui, l'hélicoptère repartit vers le fond de la vallée, d'où il était venu.

Sortant alors de sous les branches, en rampant, Reuben remarqua les nuages. Les nuages bas, les plus noirs et les plus épais qu'il eût jamais vus. Envahissant le ciel, d'un bout à l'autre de la vallée, ces cohortes de nuages noirs progressaient vers eux. Le vent se mit à souffler. La température chuta brusquement. Reuben prit Sarah par un bras et ils se laissèrent pratiquement glisser jusqu'à leur abri. C'était comme si le jour avait soudain fait place à la nuit. A peine eurent-ils le temps d'entrer à l'intérieur de leur refuge que la tempête se déchaîna.

8

L'ambiance tiède et ouatée de l'abri les accueillit. Tandis qu'ils s'efforçaient de reprendre souffle, le vent poussa des rafales de neige jusque dans leur trou. Reuben en bloqua l'ouverture avec la selle, colmatant avec une des couvertures les brèches d'air subsistant. Alors, il se détendit un peu, et dit à sa fille :

— Ce n'est qu'une tempête.

Mais il ne l'abusa pas plus que lui. Car jamais encore il n'avait essuyé une tempête pareille. Le vent se déchaînait. Ils l'entendaient hurler dehors, s'acharnant sur la selle et la couverture posées devant l'entrée, telle une bête furieuse cherchant à pénétrer dans l'abri.

— Papa, j'ai peur!

Lui aussi avait peur.

— Ce n'est rien, crois-moi. Tu n'as aucune raison d'avoir peur.

Il la serra contre lui. La selle frémissait sous les assauts répétés du vent.

— L'entrée est bloquée... La neige a comme cimenté la selle dans l'ouverture. Nous sommes au chaud, tu vois.

Ces paroles rassurèrent Sarah. Elle se sentait protégée par la tempête. Puis elle se tourna vers son père :

— Mais nous n'allons plus pouvoir respirer!

— Bien sûr que si. Tu oublies l'ouverture de la cheminée. Les branches de l'arbre la recouvrent, elles empêcheront qu'elle soit obstruée.

Mais il savait bien que cette ouverture était trop petite, pas assez large pour que l'air froid y descende et vienne renouveler leur oxygène. Les flammes du foyer vacillèrent. Ils allaient devoir choisir entre manquer d'oxygène ou mourir lentement de froid. Avec l'énergie du désespoir, Reuben saisit un bout de bois et, rampant jusqu'à l'arbre qui formait le fond de leur antre, il attaqua la neige du côté du tronc opposé à celui où se trouvait la cheminée. Après avoir travaillé un long moment et reçu pas mal de neige dans les yeux, il réussit à percer un trou d'aération. Ou du moins en eut-il le sentiment car il faisait trop noir au-dehors pour arriver à déceler la moindre clarté, mais il sentit un souffle d'air froid sur son visage et, regardant du côté du feu, il vit qu'il reprenait. Les flammes se ravivèrent.

Bourne rampa de nouveau vers sa fille.

— Là... maintenant, tout ira bien.

Oui... sauf si la tempête accumulait tant de neige dans la dénivellation que le toit de leur abri finirait par s'écrouler sous sa masse. Ils n'arriveraient pas à s'extraire du trou et mourraient là, étouffés.

Reuben chassa cette pensée.

— Nous n'avons qu'à nous détendre et à patienter jusqu'à ce que la tempête passe.

En disant cela, il se demandait si la couche de glace, au-dessus de leurs têtes, serait assez solide pour résister à la violence du vent et au poids de la neige qui s'accumulait.

— Il le faut, dit-il malgré lui.

— Quoi donc, papa?

— Rien. Préparons-nous quelque chose à manger.

A présent, ils avaient de la viande en abondance. La veille, lorsqu'il faisait chaud et qu'ils ne souffraient pas encore de la dysenterie, Reuben avait brisé les autres jambes du cheval, les avait dépecées, coupées en filets et congelées dans un des murs de l'abri avant qu'elles ne s'abîment. Par ailleurs, il avait envoyé Sarah ramasser du bois, si bien que de ce côté également ils n'avaient aucun souci à se faire dans l'immédiat.

Un craquement au-dessus de sa tête. Il leva aussitôt les yeux, cherchant des fissures dans le plafond. Mais il n'en décela aucune et plutôt que d'inquiéter Sarah il lui donna un morceau de viande à cuire, tandis qu'il en piquait un autre, au bout d'un morceau de bois, pour lui-même. Leurs estomacs s'étant réhabitués à la nourriture, ils n'avaient plus besoin de manger aussi lentement; après un moment, mis en appétit, ils se firent griller deux autres filets de viande.

Bourne avait mal aux yeux. Tout d'abord, il avait mis cela sur le compte du vent, avant de comprendre que c'était dû à l'intense réverbération du soleil. Alors, avec la peau du cheval, il se tailla un bandeau. Il y pratiqua deux étroites ouvertures, en face des yeux, puis en confectionna un autre pour Sarah, tout en plaisantant et parlant de « bandits à moustaches ». Il avait plusieurs fois envisagé de se couper la barbe et les moustaches, avec le couteau mais s'était dit qu'elles le protégeaient du vent, avantage que n'avait pas Sarah dont la peau des joues pelait. Reuben se promit de lui passer de la graisse de cheval sur la figure quand ils pourraient sortir de ce trou.

Il perçut un nouveau craquement dans le toit de l'abri.

Sarah avait entendu, cette fois-ci. Elle ne posa pas de question, mais Bourne comprit ce que ses yeux lui disaient :

— Je n'en sais rien, dit-il, ayant deviné sa peur. J'espère qu'il tiendra. De toute façon, comme je ne peux rien y faire, je ne veux pas penser à ça.

A l'intérieur de l'igloo, l'air était empuanti par leurs respirations, l'odeur de la fumée et la viande grillée du cheval. A tour de rôle, ils allaient respirer à travers la cheminée du toit. Lui-même veillait à entretenir le feu, tout en se demandant si la chaleur n'allait pas finir par faire fondre les parois. Ils mangèrent de nouveau. Puis, Reuben dormit, se réveilla, se rendormit. La tempête semblait ne jamais devoir finir.

9

La tempête s'était apaisée. Il se sentait le cerveau engourdi. Ils n'entendaient plus le hurlement du vent. Lorsqu'il s'approcha de la bouche d'aération, il fut un moment avant de réaliser qu'il faisait jour.

— La tempête est finie, dit-il.

Sa voix était faible. C'est à peine s'il pouvait bouger.

— Tu m'entends?

Elle hocha vaguement la tête.

— Alors, sortons.

Mais ni l'un ni l'autre ne pouvaient bouger.

Qu'est-ce que nous avons?

L'air. L'air est devenu si irrespirable, là-dedans, que nous sommes presque morts.

Il lui fallut rassembler ce qu'il lui restait de force pour ramper jusqu'à l'entrée de l'abri, ôter la selle, la couverture, puis creuser, avec ses mains, une tranchée de sortie vers l'extérieur.

Mon dieu, je n'ai même plus la force de creuser... Nous allons mourir ici.

C'est à peine s'il pouvait remuer les doigts pour bouger ses mains. Il se laissa retomber, épuisé. Soudain, il ne put endurer de rester une minute de plus à moitié asphyxié dans ce trou où ils étouffaient. Il lui sembla que ses mains se remettaient d'elles-mêmes en action. Il les regarda avec une sorte de stupeur émerveillée, et décida de les aider.

Le chien l'attendait.

Bourne ne comprit jamais comment l'animal avait pu

survivre au milieu de la tempête, mais le fait est qu'il vit le chien émerger de sous les branches d'un sapin, à vingt mètres en avant du trou. Il s'ébroua en le regardant. Reuben éprouva un tel soulagement de se retrouver à l'air libre qu'il n'accorda aucune attention à l'animal, restant étendu par terre une main sur les yeux et respirant à pleins poumons. Puis il pensa à Sarah, rampa à l'intérieur du trou et la tira dehors.

Ils purent respirer à peu près normalement, leurs poumons rechargés d'oxygène. Reuben regardait le chien. Il représentait une provision de viande. Peu lui importait désormais que quelqu'un entendit, ou non, la détonation. Tirant le Magnum de son étui, il le braqua sur le chien, mais celui-ci courut aussitôt se cacher sous les branches basses du sapin.

Plus tard, lorsqu'il eut recouvré suffisamment d'énergie pour se traîner jusque-là, Bourne constata que le chien s'était creusé un terrier pour s'abriter de la tempête. Et, à l'endroit où il avait disparu sous les branches de l'arbre, l'homme vit la trace laissée dans la neige par le ventre de l'animal. Il faillit lui donner la chasse, mais il ne pouvait abandonner Sarah, et il était d'ailleurs convaincu que le chien reviendrait.

Le chien reparut à la tombée de la nuit. Reuben l'entendit ramper sur le ventre et regagner son terrier, sous le sapin. Le lendemain matin, Reuben remarqua des traces de pattes autour de la carcasse gelée du cheval. Le chien avait faim, lui aussi...

Les jours suivants, la corvée de bois devint exténuante car ils devaient ramper de plus en plus loin de l'abri pour trouver du bois mort. Bourne sentait que le chien était caché dans les parages, et l'observait.

Mais il y avait autre chose. Sarah. Leur longue claustration à l'intérieur de l'abri l'avait très affaiblie. Cet hiver interminable la désespérait.

— Je m'ennuie, lui avait-elle dit.

Ils devaient survivre pour ne pas mourir. Mais chaque

jour était identique à celui de la veille et à celui du lendemain. Dans ces conditions, pour Sarah, la vie perdait tout intérêt. Son père s'efforçait de lui raconter des histoires. Il lui posait des devinettes, lui chantait des chansons qu'elle devait reprendre, ensuite, avec lui. Il s'ingéniait, aussi, à lui trouver de menues occupations. A quoi bon? Ils n'avaient plus assez de nourriture pour subsister. Ils avaient mangé tout ce que Reuben avait pu arracher à la carcasse gelée du cheval. A présent, celle-ci était trop dure pour que son couteau pût encore l'entamer. Reuben ne cessait plus de contempler cette carcasse. Le chien, aussi la regardait, couché sous le sapin. Ils allaient mourir avec cette viande sous les yeux.

Une journée s'écoula avant que Reuben trouve une solution à ce problème de ravitaillement. S'il ne pouvait pas apporter la viande jusqu'au feu, c'est le feu qu'il transporterait jusqu'à la viande. Prenant entre ses doigts gantés la plaque de métal trouvée près de la mine, et dont il sentit la chaleur à travers ses mitaines, il la sortit de l'abri et alla la poser sur la carcasse du cheval. Il fit du feu sur la plaque, afin que le métal brûlant cuise la viande au-dessous. A l'aide d'un bâton, il poussait ensuite la plaque vers une autre portion de viande et découpait celle qui était cuite. Les filets de viande ainsi arrachés à la carcasse n'avaient pas plus de deux centimètres d'épaisseur, et leur partie cuite était plus ou moins carbonisée mais c'était déjà ça! Le problème était résolu. Après avoir cuit un autre carré de viande, il remporta la plaque à feu dans l'abri. Sarah mangea cette viande avec appétit. Mais, avec les jours, le plaisir qu'elle en éprouvait ne tarda pas à s'émousser et la fillette ne fut plus consciente que d'une chose : chaque jour, la viande encore comestible du cheval se raréfiait, et bientôt il n'y en aurait plus, d'autant que le chien s'y attaquait, aussi, durant la nuit. Un matin, ils constatèrent même que l'animal s'était introduit dans l'abri, pendant leur sommeil, et avait mangé le peu de viande qu'ils gardaient en réserve.

La nuit suivante, Bourne entendit sa fille tousser.

Après ça, la fin ne fut pas longue à venir. Sarah toussa de plus en plus. Elle buvait peu, dormait beaucoup. Comme un sculpteur attaquant la pierre, Reuben parvint encore à arracher quelques morceaux de viande à cette carcasse gelée dont dépendait leur survie. Pour la motiver, il annonça à Sarah qu'ils avaient encore beaucoup de viande à manger, mais Sarah n'avait même plus le courage de regarder ce qu'il lui montrait; elle passait son temps enroulée dans le sac de couchage, de plus en plus près de la plaque à feu. Reuben avait glissé des branches de sapin sous le sac, afin de l'isoler du sol glacé. Sarah eut un peu moins froid. Il la forçait aussi à boire de l'eau chaude, mais elle n'allait pas mieux. Ce n'était pas seulement le froid extérieur qui la faisait dépérir, mais aussi un virus qui la rongeait. En altitude, on peut être malade par manque d'oxygène, par manque de sel ou par appauvrissement du sang, mais jamais par le fait de microbes ou de virus. En montagne, on ne trouve pratiquement pas de microbes et ceux qui y sévissent parfois n'ont qu'une très faible virulence. Mais en ce qui concernait Sarah, tout s'était produit. Ses vomissements l'avaient fatiguée, la chevauchée avait encore affaibli sa résistance, l'ultime ascension avait usé ses dernières forces, alors, à présent, son organisme charriait un virus. Sa toux ne cessait plus. Bourne n'en dormait plus, non parce qu'elle faisait du bruit en toussant, mais parce qu'il ne pouvait rien faire pour la soigner. Pour la réchauffer, voilà qu'il devait s'attacher à refroidir sa température car elle était brûlante de fièvre. Il lui baignait le visage d'eau tiède, avec des morceaux de sa chemise. L'un après l'autre, il faisait sécher ses vêtements trempés de sueur. Il sortait quelquefois de l'abri pour faire cuire d'autres tranches de viande sur la plaque à feu, mais se hâtait de revenir près d'elle, sachant qu'il ne devait pas la laisser trop longtemps sans feu. Il l'obligeait à manger. Elle avait à peine la force de mâcher. Il lui épongeait le front puis, pour soulager ses maux d'estomac, il lui frictionnait le ventre. Mais, à chaque lever de soleil, Bourne constatait que l'état de sa fille s'était aggravé. Dans son délire, Sarah s'imaginait encore dans leur maison, avant l'horreur de cet enfer, et se voyait entrer dans les draps chauds de son lit après avoir choisi la nouvelle jupe qu'elle porterait le lendemain pour aller à l'école. Reuben se rappela un soir de cette heureuse époque : il avait donné un bain à sa fille, puis l'avait peignée, en lui récitant des petits poèmes aux rimes comiques, qui leur avaient donné le fou rire. Voyant maintenant les mèches de cheveux sales et emmêlés qui émergeaient de son capuchon, il se sentit au bord des larmes en se remémorant combien soyeuse était alors la chevelure de Sarah. A un moment, elle parla comme si ça n'était pas lui, mais Claire, qui se trouvait auprès d'elle : « Maman, est-ce que ma petite camarade peut rester coucher cette nuit? »

Puis, un matin, Sarah était morte.

10

Quand il entendit, dehors, le chien ronger la carcasse du cheval, Reuben ne bougea pas. Il regardait Sarah, fasciné par ses yeux ouverts, des yeux sans regard où il plongeait en vain le sien. Après un moment, il ferma les yeux pour se donner l'illusion qu'elle était seulement endormie. Quand le chien attaqua une seconde fois la carcasse du cheval, Reuben ne broncha pas davantage, continuant de contempler ce visage livide, ce corps raidi. Il resta ainsi jusqu'au moment où, prenant conscience que c'était de nouveau le matin, il se rendit compte qu'il n'avait pas dormi depuis un jour. Il s'obligea à bouger, pour aménager une sorte de chambre funéraire, dans laquelle il enterra

Sarah, réalisant qu'elle ne tarderait pas à se décomposer s'il la gardait près du feu.

La fatigue le fit ensuite s'endormir; lorsqu'il s'éveilla, son premier souci fut d'exhumer sa fille au jour pour la regarder. Après quoi, il l'enterra de nouveau sous la neige. Puis il s'éloigna un peu pour soulager sa vessie, plissant les yeux sous l'assaut du soleil. La vue de deux cercles creusés dans la neige, à proximité de celui qu'il était en train de faire, lui rappela qu'il était venu uriner deux fois là depuis le matin de la veille, ce dont il ne gardait aucune souvenance. Il regarda avec indifférence la nouvelle portion de viande que le chien avait mangée sur la carcasse. Ensuite, il fit fondre de la neige sur la plaque à feu, et but.

Chaque matin, il exhumait le corps de sa fille, contemplait un moment le visage aimé puis, soucieux de la conserver intacte, il se hâtait de la recoucher dans la chambre funéraire et d'en sceller hermétiquement l'entrée.

Un matin, il prit la plaque à feu et se fit cuire de la viande dehors, se haïssant d'avoir besoin de manger, mais s'obligeant à le faire bouchée après bouchée.

Il devait ramper de plus en plus loin de l'abri pour trouver du bois. Il revenait très vite à l'abri, craignant qu'en son absence le chien vienne déterrer Sarah. Chaque matin, après avoir contemplé le visage de sa fille, il s'apercevait que le chien avait rongé une nouvelle portion de la carcasse du cheval. De toute façon, même si Sarah était encore en vie, ils n'auraient pas tardé à mourir tous les deux, car il n'y aurait pas eu assez de viande pour deux bouches tout comme il n'y en aurait certainement pas assez pour le chien et lui. Pour s'occuper l'esprit, il tendait des embuscades au chien pour l'empêcher d'approcher la carcasse. Il s'embusquait à proximité, avec l'idée d'abattre l'animal. Il restait éveillé le plus longtemps possible, prêtant l'oreille, à l'affût du moindre bruit lui signalant que le chien s'attaquait de nouveau aux restes du cheval. Mais le chien revenait manger la carcasse chaque fois que Bourne s'endormait malgré lui ou quand l'homme allait chercher du bois mort pour son feu. Bientôt, il ne resta plus du cheval qu'un squelette. Avec les os du cheval, il se fit un ersatz de bouillon chaud d'un goût horrible. En taillant un grand os plat, avec son couteau, il se confectionna des sortes de sabots.

Bourne s'isola dans l'abri, économisant au maximum le peu de viande qu'il gardait en réserve. Au bord de la folie, il se dit qu'il devait quitter ce trou. Mais il ne pouvait se résoudre à abandonner Sarah et ne pouvait pas davantage l'emporter avec lui, car il n'aurait jamais la force de transporter son corps. Et comment se nourrirait-il en chemin? Ses doigts étaient si gelés qu'il ne pourrait même pas tuer du gibier avec son Magnum. Il décida donc de rester.

Une série de journées plus douces lui donnèrent à penser que le printemps approchait, mais il lui restait assez de mémoire humaine pour savoir que le printemps serait encore long à venir. De fait, le froid revint, plus intense que jamais. A contrecœur, Bourne dut se résoudre à dépouiller Sarah de son sweater : il s'en fit un capuchon dont il rentra les extrémités sous sa veste. Par habitude, il lui arrivait encore de regarder sa montre, mais elle s'était arrêtée. Parce qu'il ne pouvait se laver ni manger à sa faim, ses cuisses, ses bras et sa figure étaient couverts de plaies qui le démangeaient et qu'il grattait.

Le chien était à l'intérieur de l'abri. Assis à quelques pas du sac de couchage, il regardait l'homme. Bourne fut un moment avant de réaliser la présence du chien, dont les yeux étaient fixés sur les dernières provisions de viande de Reuben. La bête s'approcha. Reuben dégaina son Magnum, instinctivement. Il l'arma, braqua le canon sur l'animal, qui se rapprocha encore un peu. Bourne pensa que la viande du chien lui garantirait une nouvelle provision de nourriture, et donc une meilleure chance de survivre jusqu'à la fin de l'hiver. Mais, à la réflexion, il se rendait compte que ça n'empêcherait pas sa mort, qu'elle serait seulement différée d'une semaine ou deux, qu'il mourrait quand même de faim. Alors, parce qu'il ne savait plus quoi penser et que tout lui était devenu égal, Reuben lâcha son Magnum, prit un bout de viande et le jeta au chien, qui le happa au vol. Regrettant aussitôt son geste, Bourne reprit son Magnum pour faire feu, mais l'animal s'était éclipsé. Bourne se releva en jurant, et rampa hors de l'abri avec l'idée d'abattre le chien, mais il ne le vit nulle part. Alors, il s'endormit.

Depuis deux jours, il n'y avait plus de viande. Il se rappelait avoir dit à Sarah qu'on ne pouvait survivre que trois semaines sans nourriture. Il devait partir d'ici. Mais il n'en avait plus la force. Il eut des hallucinations : dans son délire, il abattait le chien, le dépeçait et se nourrissait de sa viande. Il se souvenait de choses lues à propos d'avions que des accidents avaient contraints à se poser en haute montagne, et dont les occupants, affamés, avaient fini par manger les cadavres de leurs compagnons. Il pensa à Sarah. Le corps de Sarah. Oh non, il ne ferait pas ça!

Cannibalisme.

S'il laissait ses instincts commander à sa raison, il allait devenir moins qu'une bête. Devenir une bête prête à tout pour survivre... Un matin, en exhumant Sarah, il envisagea cette *possibilité*. Un autre matin, il se dit que Sarah consentait à cette horreur nécessaire. Un soir, il prit son couteau, exhuma le corps, puis retrouva heureusement sa raison. Mais il le ferait, un jour ou l'autre. Il ferait cuire la chair, puis s'imposerait d'en manger. Ensuite, il parviendrait à le faire sans plus éprouver de répulsion, allant même jusqu'à voir là une sorte de communion.

Il ne se donnait presque plus la peine d'aller chercher du bois et demeurait la plupart du temps, assis, à boire de la neige fondue. Ses vêtements en lambeaux flottaient autour de son corps amaigri. De nouveau, l'hallucination du chien : il s'imaginait le tuant d'un coup de revolver, le dépeçant avec le couteau... Puis, brusquement, il s'aperçut que ce n'était pas une hallucination : le chien était là, assis devant lui, le regardant. Il saisit son arme, en pensant : « Cette fois, si je ne le tue pas, c'est lui qui m'aura. »

Il allait presser la détente, lorsqu'il vit ce que l'animal tenait dans sa gueule.

Un lapin!

Oui, c'était bien un lapin... Le chien s'approcha pour le déposer devant lui. Reuben ne comprenait plus. Si le chien avait attrapé un lapin, pourquoi diable ne le mangeait-il pas? Pourquoi le lui avait-il apporté, comme l'eût fait un chien de chasse, avant de reculer jusqu'à l'entrée de l'abri et s'accroupir sur ses pattes?

Il comprit : le chien aimait le goût de la viande grillée.

Bourne dépeça le lapin avec son couteau, le vida, le dépiauta, le piquant ensuite au bout d'un bâton pour le faire cuire au-dessus de la plaque à feu. Il était tellement affamé qu'il faillit oublier de donner sa part au chien, qui émit un grognement menaçant. Détachant une cuisse, Bourne la lui jeta. Après quoi, ils mangèrent.

Au cours des jours qui suivirent, le chien lui apporta encore deux lapins, puis un écureuil. L'homme et le chien finirent par partager l'abri.

11

Le premier jour où il fit chaud, Bourne redescendit de la montagne.

Pour mettre Sarah à l'abri des bêtes, il creusa un trou profond dans la terre dégelée. Il recouvrit la sépulture de grosses pierres. Cette protection ne lui paraissant pas suffisante, il recouvrit les pierres de branchages. Puis, quand il eut la conviction qu'aucune bête ne pourrait déterrer la morte, il retourna une dernière fois à l'intérieur de l'abri pour y récupérer tout ce qui lui serait utile. Il emporta le chaudron ainsi que les trois boîtes de conserve vides. Il les rangea, avec les couvertures de selle et la plaque à feu, dans un sac qu'il avait confectionné avec des peaux de lapins. Après s'être coiffé de son bandeau anti-soleil, il s'enfonça sous le couvert des arbres. Ses gants de laine étant depuis longtemps usés, il les avait remplacés par des moufles en peaux de bêtes. Ses sabots de neige improvisés se révélèrent plus solides qu'il ne l'espérait.

Il s'immobilisa en haut d'un tertre, regardant l'abri qu'il venait de quitter. Il considéra l'emplacement de la sépulture de Sarah et se promit d'y revenir. Puis il partit en direction du col menant à la mine abandonnée. Il marcha quatre jours avant d'y parvenir, suivant exactement, en sens contraire, le chemin qu'il avait pris en venant, bivouaquant avec le chien là où Sarah et lui s'étaient arrêtés — notamment au creux de l'arbre en V, de nouveau émergé de la neige —, partageant avec le chien ce qu'il restait des lapins et de l'écureuil tués. Ils dormaient serrés l'un contre l'autre, dans le sac de couchage. Reuben ne parlait que très rarement à l'animal. Celui-ci le quittait parfois, mais le rejoignait toujours, où qu'il fût, un gibier dans sa gueule, ce qui permit de reconstituer leurs provisions de route. Ils franchirent le col, passèrent près des cabanes effondrées des mineurs, puis arrivèrent à l'abri de tôle ondulée, près de la mine. Ils firent halte dans le tunnel obstrué de la mine, comme Sarah et lui l'avaient fait. Reuben alluma du feu. Ils mangèrent et se réchauffèrent. Rien n'indiquait que les autres fussent dans les parages. Lorsqu'il se réveilla, le lendemain matin, il remit ses sabots de neige et se dirigea vers la ville fantôme. Il reconnut l'endroit où Sarah et lui s'étaient abrités après la mort de Claire. Ils s'y arrêtèrent, mangèrent, dormirent. Le lendemain, ils traversèrent le champ de hautes herbes, devant la ville. Il ne restait pas grand-chose de Marerro, juste, ici et là, quelques poutres noircies émergeant de la neige sous le soleil. Après s'être fait un abri dans des décombres, il se mit en quête du cadavre de l'homme que le vieux avait poignardé et jeté dans le feu. Il chercha également le cadavre du vieux, et aussi celui du type que Claire avait abattu d'un coup de fusil dans l'écurie. Mais il ne trouva rien, ni surtout le cadavre de Claire. Les autres avaient dû l'enterrer ou brûler son corps, après avoir donné à Kess la preuve qu'elle était morte — une mèche de cheveux, peut-être.

Mais la zone à prospecter pour retrouver Claire était trop vaste. Reuben finit par renoncer, tout en se jurant de revenir plus tard pour donner à Claire et à Sarah une sépulture digne d'elles.

Cette nuit-là, le chien revint avec un écureuil.

Le lendemain matin, ils atteignirent la rivière. Bourne se déchaussa, fourra ses sabots et ses chaussettes en lambeaux dans le sac, puis traversa la rivière à gué. En portant le chien. L'eau était glaciale. Il se sécha vigoureusement les pieds sur l'autre rive. Puis il aperçut un lapin. Il tira trop vite, et la balle éventra l'animal. Mais c'était quand même un petit apport de viande. Lorsqu'il l'eut dépiauté et vidé, il rangea dans son sac les morceaux comestibles du lapin que la balle n'avait pas déchiquetés. Ils longèrent la rivière, puis prirent à travers les arbres en direction de la brèche du canyon qui leur permettrait d'accéder au Désert à moutons. C'était leur sixième jour de marche. Il faisait chaud, si bien que la neige avait fondu et qu'ils n'eurent pas trop de mal à escalader les rochers que le vieux et lui avaient fait rouler là pour barrer le passage. Puis, après s'être momentanément égarés dans le labyrinthe de la brèche, ils remontèrent le canyon et débouchèrent dans le Désert à moutons. Là, Bourne put mieux se rendre compte du changement de temps : la neige ramollissait partout, bien que demeurant épaisse. Des rochers en émergeaient, nus et encore humides.

L'homme et le chien campèrent dans le fond du canyon, en se calfeutrant dans une anfractuosité de la muraille. Bourne fit un grand feu, le premier vrai grand feu depuis des mois. Comme il avait pris soin, dans l'abri, de maintenir le feu allumé en permanence, il lui restait encore quelques précieuses allumettes, ce qui, jusqu'ici, leur avait permis, à lui et au chien, de manger et de se chauffer.

Il s'inquiéta de son retour à la civilisation. Que penseraient les gens s'ils le voyaient dans cet état? Il risquait aussi d'attirer sur lui les soupçons des autorités. Il s'employa donc à se rendre présentable : il fit chauffer de l'eau et se lava, vigoureusement, nu près du feu. Ensuite, il rasa sa barbe et tailla de son mieux ses cheveux avec le couteau. Cela faisait longtemps qu'il n'avait regardé sa poitrine et ses cuisses : elles étaient décharnées, couvertes de plaies et de boutons. Il ne pouvait guère laver ses vêtements sans transformer en charpie les loques qu'ils étaient devenus. Il les rinça donc plusieurs fois délicatement, puis les mit à sécher près du feu, regardant avec plaisir la vapeur qu'ils exhalaient. Quand il les remit, il trouva leur chaleur réconfortante; après quoi, Bourne partagea avec le chien ce qu'il leur restait de viande, et la bête et l'homme s'endormirent serrés l'un contre l'autre, dans le sac de couchage.

Le lendemain matin, Reuben tua un lapin, mais cette fois proprement, d'une balle en pleine tête. Après l'avoir fait cuire et mangé, il se remit en route, essayant de retrouver les repères qui lui permettraient de rejoindre la cabane du rancher. Ses cartes étant depuis longtemps devenues illisibles, il n'eut d'autre secours que sa boussole. dont l'aide sans les cartes n'était que très relative. Après un jour et demi de marche, il vit la cabane dans la clairière. Par prudence, Bourne contourna la clairière pour ne s'en rapprocher que sous le couvert des arbres, ce qui représentait une demi-journée de marche. Il parvint à proximité de la cabane avant la tombée du jour et, après avoir longuement guetté les alentours pour s'assurer que personne ne s'y trouvait, il alla jusqu'à la porte. Le cadenas qu'il avait forcé ne semblait pas avoir été touché.

Il ouvrit la porte et s'immobilisa sur le seuil, contemplant ces nourritures qu'il n'avait pas emportées, lors de sa fuite, pour abuser ses poursuivants : des boîtes de pêches, du corned beef et même des biscottes!

Il passa là trois jours entiers. Il ne fit que trois choses : se décrasser, manger, dormir, se sentant moins en danger grâce à la présence du chien. Pour plus de sûreté, Bourne ne dormait pas dans la cabane, mais dans la clairière, sans feu, sous les arbres.

Pour faire ce qu'il devait faire, il avait besoin de retrouver des forces.

Le quatrième jour, lorsqu'il repartit, il se sentait dans une forme splendide. Le confort retrouvé d'une chemise chaude et propre, des chaussettes neuves, des provisions de biscottes et de biscuits, des conserves de fruits et de viande lui firent mesurer l'ampleur des privations qu'il avait connues depuis des mois. Aussi poussa-t-il un soupir de soulagement quand, six jours plus tard, il atteignit le corral d'où Claire, Sarah et lui s'étaient enfuis avec les chevaux. Il descendit prudemment vers le chalet, en se dissimulant derrière le tronc des arbres. La neige était beaucoup moins épaisse, d'une part à cause de la saison, mais aussi à cause du changement d'altitude. Il y avait même des endroits où l'on voyait l'herbe. Le chalet lui apparut avec ses vitres étincelant au soleil, exactement comme il se le rappelait : sa petite tourelle, le puits et les W.C. sur le côté. Il n'y avait aucune trace de pas dans la neige, nulle fumée montant de la cheminée, absolument rien n'indiquant que quelqu'un était là. Néanmoins, après s'être caché sur une hauteur, de façon à pouvoir en surveiller les abords, Bourne passa la nuit à la belle étoile, le chien couché près de lui.

Le lendemain matin, sûr que le chalet était vide, il s'y introduisit par la porte de derrière, inspectant rapidement les pièces du rez-de-chaussée ainsi que les placards. Il laissa le chien en bas et se livra à une inspection tout aussi minutieuse de l'étage avant de monter dans la tourelle.

Personne!

Reuben n'en croyait pas ses yeux. Rien n'avait changé. C'était comme si personne n'était venu là depuis leur fuite. En bas, dans le living, il trouva la lampe exactement comme il l'avait laissée, avec le verre posé près d'elle. Oui, tout était absolument inchangé. C'est ce que Reuben ne s'expliquait pas. Le propriétaire avait dû sûrement venir jeter un coup d'œil, ou bien l'agent immobilier pour réclamer son loyer. Devant un miroir, il égalisa sa barbe et ses cheveux. Il finit les vivres qu'il avait emportés en quittant la cabane, et s'attaqua aux provisions du chalet. Il fit chauffer de la poule au riz, ouvrit une boîte de pudding, partageant tout avec le chien. Après quoi, il prit un bain, puis passa les vêtements et sous-vêtements propres qu'il retrouva dans le tiroir de la chambre du rez-de-chaussée. Il surveillait les abords du chalet, tout en s'habillant, craignant de voir ses poursuivants apparaître entre les arbres, comme la première fois. Pour prendre son bain, il s'en était remis au chien qui montait la garde près de la porte de devant. Quand il eut terminé, il se hâta de regagner son bivouac, au milieu des arbres, d'où il pouvait observer le chalet. Il s'endormit sous la garde du chien. Le lendemain, il rentra au chalet pour manger. Il opéra ainsi pendant toute une semaine, jusqu'à ce qu'il se sentit prêt.

12

— Oh! Bonjour... Ça faisait quelque temps que je ne vous voyais pas.

— Je m'étais absenté.

— Eh bien, que puis-je pour vous cette fois?

— Je voudrais ce fusil à lunette. Et deux boîtes de cartouches.

— Parfait. Comment ça s'est passé?

— Pardon?

— Votre chasse. Combien de pièces à votre actif?

— Pas autant que je l'aurais souhaité.

— Oui... c'est ce que tout le monde dit.

Ensuite, Bourne était allé chez l'agent immobilier, qui l'avait accueilli de la même façon, en précisant :

— Vous n'aviez pas à vous inquiéter. Vos amis sont venus payer le loyer chaque mois, comme vous le leur aviez demandé.

C'est la conclusion à laquelle Bourne avait abouti. C'était en effet la seule raison pouvant expliquer que l'on n'eût touché à rien dans le chalet. Décidément, ils pensaient à tout. Ils s'étaient dit que, s'il avait survécu, il reviendrait peut-être là. Il demanda à l'agent immobilier de ne pas avertir ses amis de son retour.

Ils devaient venir encore une fois payer le loyer et monter s'assurer que le chalet était en ordre.

Fort de ces renseignements, Bourne dit à l'agent immobilier qu'il voulait leur faire la surprise de le voir revenu. Il était convaincu que l'autre parlerait quand même, et misait là-dessus. La neige vierge entourant le chalet lui prouva qu'ils n'étaient pas encore montés voir si tout était en ordre. Sans doute attendaient-ils la fonte des neiges, n'imaginant pas qu'il pût revenir maintenant. Et s'ils avaient continué de payer le loyer, c'était pour que personne n'aille fourrer son nez dans le chalet, et constater les dégâts et les impacts de balles sur la tourelle.

L'ennui, c'est que la neige fondait plus lentement qu'il ne l'avait espéré, si bien que les autres risquaient fort de ne pas monter au chalet avant le mois suivant : Bourne ne voulait pas attendre aussi longtemps. Voilà pourquoi il avait raconté à l'agent immobilier qu'il voulait faire une surprise à ses *amis*, afin que celui-ci s'empresse de le leur dire. De toute façon, ils finiraient par venir. Reuben avait regardé le calendrier, dans le bureau de l'agent immobilier : 25 avril. Plus que quelques jours à attendre. Il acheta une toile de sol pour mettre sous le sac de couchage, regagna le chalet, puis son bivouac au milieu des arbres.

Il campait sur la hauteur, située à gauche de la façade

du chalet. De là, il pouvait voir le côté de la maison avec les W.C., une partie de la façade et le puits. Il avait aussi une vue plongeante sur la route et la pente découverte qui menait au chalet. Un risque subsistait : que les autres arrivent par le bois, c'est-à-dire dans son dos. Là, il comptait sur le chien pour flairer leur approche.

Il compta les jours. 29 avril. Cette nuit-là, lorsqu'il entra par la porte de derrière, il entendit un léger bruit, une sorte de raclement, et pensa aussitôt « Ils sont là! » en se jetant dans un coin de la cuisine. Mais il n'entendit plus rien et ne sut jamais ce qui avait pu faire ce bruit : quelque animal, probablement. Cette alerte le fit redoubler de prudence.

30 avril.

Au matin du 1er mai, Bourne commença à penser qu'il avait commis une erreur de jugement. Peut-être, finalement, l'agent immobilier avait-il su tenir sa langue? Peut-être les autres ne viendraient-ils pas? Peut-être les attendait-il en vain? Le 2 mai, juste avant le coucher du soleil, Bourne entendit une voiture, tout en bas, sur la route, et cette voiture s'arrêta. Ce pouvait n'être rien : des gens venus louer un autre chalet ou des chasseurs désireux de louer des chevaux au vieux rancher qui habitait dans cette direction. Mais ce pouvait être eux. S'ils attendaient la nuit pour investir le chalet, il risquerait de tomber dans une embuscade qu'ils lui auraient tendue. Immobile, il prêta l'oreille. Personne. Le chien ne grognait pas. Mais il n'avait pas non plus entendu repartir la voiture.

Vers trois heures du matin, Reuben entendit un claquement sec dans les arbres, au-dessous de lui.

Le jour se leva.

Ils étaient trois : un caché dans les arbres, derrière le chalet; deux autres couchés à plat ventre en haut de la côte. Il les distinguait très nettement. Ils portaient des survêtements marron clair, mais pour autant qu'il pût se rendre compte ce n'étaient pas les même types qui l'avaient suivi en ville, l'automne précédent. Il voulait les avoir tous ensemble au bout de son fusil. Il continua donc d'attendre leurs mouvements. Ils consultaient fréquemment leurs montres et soudain, comme s'ils étaient convenus d'une heure H, ils se mirent à tirer, pulvérisant ce qu'il restait de vitres aux fenêtres. Sauf celui qui se trouvait derrière le chalet. Celui-là se tenait en réserve comme si leur plan d'action était d'amener Reuben à s'enfuir par-derrière, où le type embusqué le prendrait à revers. Ils firent feu, vidant l'équivalent de deux chargeurs. Constatant que Bourne ne réagissait pas, ils cessèrent le tir. Hésitants et indécis ils restaient étendus, se risquant l'un après l'autre à lever la tête pour jeter un coup d'œil en haut de la côte, essayant de le repérer. Alors, l'un d'eux se précipita vers la porte de devant, tandis que l'autre le couvrait. Une fois le premier type entré dans le chalet, l'autre s'élança à son tour à l'intérieur de celui-ci. Celui qui s'était embusqué derrière le chalet ne bougeait pas.

A présent, ils allaient inspecter systématiquement toute la maison, puis ils sortiraient par la porte de derrière pour rejoindre le troisième. Alors, Bourne les aurait tous ensemble au bout de son fusil.

Reuben se mit à courir avec le chien entre les arbres faisant le moins de bruit possible. Il avait repéré un coin du secteur d'où il pourrait les « allumer » tous les trois.

Le troisième type, maintenant, lui tournait le dos. Il le mit en joue, centrant la mire cruciforme juste entre les omoplates. Les deux types entrés dans le chalet, ressortirent par la porte de derrière. Le troisième vint à leur rencontre. Bourne fit feu, abattant les deux types, coup sur coup, mais le troisième eut le temps de se replier dans le chalet.

Reuben se mit à courir. Il glissa, tomba, repartit, et trouva une position idéale qui lui permettait de surveiller les points stratégiques du chalet. Le troisième type était-il toujours à l'intérieur, ou avait-il eu le temps de s'enfuir, pendant que Bourne exécutait son mouvement tournant?

Ne désirant pas que l'attente se prolonge, Bourne fracassa d'une balle la lanterne qu'il avait posée, la veille, sur le rebord de la fenêtre de la chambre et aux parois de laquelle il avait collé des sachets de phosphore blanc — ayant justement prévu l'hypothèse où ses adversaires se retrancheraient dans le chalet. En se consumant au contact de l'air, le phosphore mit le feu au pétrole de la lanterne. Un brusque jaillissement de flammes embrasa la fenêtre. Maintenant, il n'avait plus qu'à attendre. Lorsque le feu le serrerait de trop près, l'homme serait contraint de sortir.

Les flammes jaillissaient de partout, la fumée sortait par les fenêtres de l'étage. Il n'avait plus qu'à attendre. Le type résista jusqu'à la dernière minute. Le chalet n'était plus qu'un brasier. Enfin, il sortit en courant par la porte de derrière. Bourne l'aperçut juste comme il passait près des cadavres de ses acolytes. Il sprintait vers les arbres. Reuben fit feu. Manqué! Sa deuxième balle faucha le type en pleine course; il s'écroula, touché à la cuisse droite; il rampa pour se réfugier sous les arbres. Bourne tira une troisième balle juste au-dessus de sa tête, sciemment, puis cria : « Ne bougez plus ou vous êtes mort! »

Ce tir de sommation incita l'homme à se rendre.

Bourne s'approcha. Le type se tenait la jambe.

— Jetez votre arme!

L'homme jeta son fusil.

— Maintenant, restez où vous êtes! cria Bourne.

Replié sur lui-même à l'orée du bois, l'homme se tenait la jambe. Une large flaque de sang tachait la neige lorsque Reuben le rejoignit. A quelques mètres d'eux, les flammes jaillissaient de la tourelle du chalet, projetant vers le ciel une épaisse fumée noire et blanche. Le bruit de l'incendie évoquait le ronflement d'une chaudière tournant à plein tirage. Reuben s'assura que les deux types étaient bien morts, puis se retourna vers le troisième qui perdait son sang.

Bourne commença par vider ses poches de survêtement : un poignard, un revolver calibre 38. Puis il fit un garrot pour arrêter l'hémorragie de la jambe. Il lui fit absorber de l'aspirine, puis l'obligea à se mettre debout après lui avoir confectionné une béquille avec une branche d'arbre. Il ordonna au type de l'accompagner jusqu'à son bivouac, où il rangea ses affaires dans le sac de couchage qu'il chargea sur son épaule. Puis ils partirent en direction des collines.

L'homme ne pouvait plus marcher. Reuben le poussa devant lui, ne lui permettant de se reposer que seulement quelques minutes. Il lui donna d'autres comprimés d'aspirine, puis le força à se remettre debout. Bourne regardait souvent derrière eux, mais personne ne lui donnait la chasse bien qu'il eût entendu un hurlement de sirène. Au bout d'un moment, il réalisa que le type ne pourrait plus tenir longtemps le rythme de marche qu'il lui imposait. Il choisit un espace découvert, où la neige avait fondu et qui était entouré d'arbres, et y poussa l'homme, en disant :

— Déshabillez-vous!

— Quoi?

— Vous m'avez entendu. Retirez tous vos vêtements!

— Pourquoi?

En guise de réponse, Reuben lui balança un coup de pied dans la jambe. L'autre s'exécuta.

— Maintenant, couchez-vous sur le dos, bras et jambes écartés!

Un nouveau coup de pied contraignit l'homme à l'obéissance. Maintenant, il était nu sur la terre brune et glacée. Sa jambe était tout enflée et couverte de sang caillé. La balle avait fait un trou juste au-dessous du genou, sans toucher l'os, un trou noir qui traversait la chair. Bourne défit le bandage pour le resserrer :

— Je ne veux pas que vous perdiez vos forces.

Bourne planta quatre piquets, qu'il enfonça solidement dans le sol. Il y attacha les mains et les pieds de l'homme dont la poitrine et le sexe se trouvèrent exposés vers le ciel. Son couteau en main, Bourne entailla la chair de l'homme depuis le mamelon droit jusqu'au nombril. L'autre se mit à hurler avant même que la lame le touche, tandis que le sang jaillissait en rougissant la peau, Reuben lui immobilisa le visage pour l'obliger à le regarder dans les yeux.

— Maintenant, je vais vous poser une question et je ne la poserai pas deux fois. Etiez-vous avec les autres dans la ville qu'ils ont incendiée?

Le type s'affola :

— Je ne sais pas ce que vous voulez dire!

Le couteau de Bourne entailla une seconde fois la chair, depuis le mamelon gauche jusqu'au nombril. L'homme hurla en agitant la tête :

— Oui, oui! J'étais avec eux!

— Voilà qui est bien... très bien même. Car, si vous n'aviez pas été avec eux, vous ne m'auriez sans doute été d'aucune utilité et je vous aurais tué! Bon... Maintenant, une autre question : qu'ont-ils fait à la femme qu'ils ont tuée?

— Ils l'ont enterrée.

— Ce n'est pas ce que je veux dire. Que lui ont-ils fait?

— Ils lui ont tranché une oreille.

— Et puis après?

— Après, rien. Ils l'ont enterrée. C'est tout.

— Où ça?

— Je ne sais pas. Ce sont deux autres qui s'en sont chargés.

— Mais où ont-ils dit qu'ils l'avaient enterrée?

— Dans une cabane, de l'autre côté de la rivière.

— Laquelle?

— Je ne sais pas.

— Très bien. Je vous crois. Maintenant, dites-moi qui vous commande.

Petit à petit, l'autre finit par tout lui avouer. Quand il cherchait à biaiser ou à mentir, Bourne avec son couteau lui entaillait un bras, une main, une épaule, ou laissait courir la lame sur la plaie de sa blessure, et le type lui révéla tout : qui lui avait donné l'ordre de faire telle chose, à telle personne, à tel moment; de qui cet autre recevait lui-même ses ordres, etc. —, si bien que se dessina peu à peu, très clairement, toute la structure de l'*Organisation*. Cela dura près d'une heure. L'homme finit par être couvert de sanglantes estafilades qui s'entrecroisaient sur son corps crucifié. Bourne apprit tout ce que l'autre pouvait lui apprendre, l'obligeant à parler sous peine de mort. Puis, lorsqu'il n'y eut plus rien que Bourne eût besoin de savoir, il s'assit sur ses talons en regardant l'homme dans les yeux et il lui dit tout le mal que l'Organisation de Kess lui avait fait. Alors, ayant ainsi ravivé les cendres de la haine, Reuben Bourne ne put se contenir davantage, et il poignarda l'homme à mort.

Épilogue

1

Cela lui prit un an.

Bourne retourna d'abord à sa maison en ville, où tout avait commencé, immobile entre les deux sapins, il la contempla longuement. Puis il alla au cimetière où Ethan était enterré et pria devant la tombe. Après, il reprit le chemin des collines, suivit le défilé qui coupait la paroi rocheuse, revit la cabane du rancher, traversa le Désert à moutons, atteignit la ville incendiée. Là, comme l'autre le lui avait dit, il trouva Claire enterrée dans une des cabanes effondrées, de l'autre côté de la rivière; il constata qu'ils lui avaient effectivement tranché l'oreille. De là, il poursuivit son pèlerinage vers la mine abandonnée, et, après avoir franchi le col, il refit le chemin qui menait au tumulus de Sarah. Celui-ci était tel qu'il l'avait laissé, sauf que les branches vertes le recouvrant avaient viré au marron. Il n'y toucha pas, se contentant de répandre dessus la terre qu'il avait prise à la tombe d'Ethan et à celle de Claire. Puis, ayant pris de la terre du tumulus de Sarah, il alla la répandre sur la sépulture de Claire, qui avait déjà reçu un peu de la terre de la tombe d'Ethan. Des semaines plus tard, il se retrouva dans le cimetière où à la tombe d'Ethan se trouva enfin mêlée la terre provenant des sépultures de Claire et de Sarah.

Alors, seulement, la haine se mit à l'œuvre.

2

Il est étendu à plat ventre au milieu d'une rangée d'arbres dominant une vallée fertile.

De l'année écoulée, il lui a fallu tout l'été, l'automne et l'hiver pour parvenir jusque-là. Il est allé trouver les gens dont l'homme qu'il a torturé lui avait révélé les noms, et il les a obligés à parler, avant de les tuer. Il a ainsi pu apprendre d'autres noms, des noms de gens plus haut placés, ce qui l'a amené à trouver une piste, puis une autre, zigzaguant à travers le pays sous des identités d'emprunt, tantôt rasé, tantôt portant la barbe, travaillant dans des fermes, des chantiers ou avec des bûcherons, ici réparant des clôtures, là repeignant une grange, travaux pour lesquels on n'a pas besoin de donner un numéro de sécurité sociale. Et toujours suivi par le chien, il a traversé ainsi le Kansas, le Colorado, l'Arizona, la Californie. Jusqu'à ce que le retour du printemps le trouve étendu à plat ventre, au milieu d'une rangée d'arbres, regardant la vallée au-dessous de lui.

Il y a une ferme dans cette vallée, une vaste propriété comprenant une grande maison avec plusieurs ailes, une écurie, des étables, le tout très blanc parmi le vert des cultures. Une famille est là, mangeant autour d'une table en plein air. Kess, sa femme, ses deux filles et son fils. A travers la lunette d'approche, il les voit prendre leur repas. Ils bavardent. Ils sourient.

Ils sont trop éloignés de la maison pour qu'aucun d'entre eux ait une chance de s'y réfugier avant qu'il ne les abatte. Peut-être réussira-t-il à les tuer tous...

Maintenant qu'il examine les lieux avec plus d'attention, Reuben peut voir un garde du corps posté à l'angle du garage, et un autre derrière la porte à moustiquaire de la maison, mais c'est sans importance. Lorsque les gardes du corps auront vu où il est embusqué, il sera trop tard.

D'ailleurs, s'il en a le temps, il les tuera aussi, tout comme le chat qui joue dans l'herbe, en souvenir de Samantha. A présent, le seul problème qu'il a encore à résoudre, c'est la façon dont il va opérer.

Il prend Kess dans sa mire, mais c'est trop simple. Kess mourrait sans rien connaître, lui-même, des souffrances qu'il a causées. Non, la meilleure façon, c'est celle dont Kess lui a donné l'exemple. Toutefois, il ne commencera pas par le chat, car ça donnerait à quelques-uns le temps de se réfugier dans la maison. Non, le chat viendra en dernier; il commencera par tuer les femmes, les plus jeunes d'abord. Et si cela laisse à Kess une chance de s'en tirer, eh bien, ça ne sera pas plus mal. Car alors Bourne le pourchassera comme lui-même a été pourchassé, afin qu'il connaisse les mêmes affres que lui. Mais, de ces trois enfants, lequel est le plus jeune?

La fille, au bout de la table à droite, doit avoir au moins douze ans. Restent donc le garçon, assis à côté d'elle, et l'autre fille. Le garçon paraît plus âgé que la fille et c'est donc cette dernière que Reuben prend dans sa mire. Elle a de longs cheveux blonds, des taches de rousseur, et elle sourit.

C'est alors que Reuben abaissa le canon de son fusil.

Il la remit en joue, mais vit la même chose et secoua la tête. Chaque fois que la fille lui apparaissait dans la lunette d'approche, son visage se fondait en celui de Sarah. Il visa le garçon et ce fut l'image d'Ethan qui s'imposa à lui, de même la femme lui rappela Claire. C'était comme s'il les voyait tous, là en bas, Claire, Sarah, Ethan, en train de manger et de rire. Alors, il se sentit incapable de presser la détente.

Il se dit qu'il était stupide. Si cette fille lui rappelait Sarah, si cette famille lui semblait ressusciter la sienne, raison de plus pour aller jusqu'au bout de sa vengeance!

L'idée lui vint alors de tuer Kess, qui ne lui rappelait

personne et ne lui apparaissait certes pas comme un reflet de lui-même. Mais ce fut en vain, car il se voyait à la place de Kess, entouré de Claire, Sarah et Ethan le voyant mourir, *lui,* sous leurs yeux. Non, ça n'était pas possible.

Alors, il se dit que s'il ne tuait pas cet homme, là en bas, celui-ci enverrait d'autres tueurs à sa recherche pour l'abattre. Il se dit que, s'il n'en finissait pas maintenant, il ne se sentirait jamais en sécurité et devrait fuir toute sa vie. Peu importe... C'était trop... Il se sentait incapable d'une chose *pareille.* Absolument incapable.

3

Il est assis dans une chambre, dans il ne sait plus quelle ville. Il ne sort que très rarement. Le chien reste avec lui. Il se remémore son pèlerinage de la tombe d'Ethan à celles de Claire et de Sarah, la façon dont il a mélangé la terre des unes aux autres. Parfois, il se réveille, après en avoir rêvé, et il lui semble alors que la terre n'en finira jamais de tomber de sa main.

LA COMPOSITION, L'IMPRESSION ET LE BROCHAGE DE CE LIVRE
ONT ÉTÉ EFFECTUÉS PAR FIRMIN-DIDOT S.A.
POUR LE COMPTE DES ÉDITIONS BELFOND
ACHEVÉ D'IMPRIMER LE 9 AVRIL 1979

Imprimé en France
Dépôt légal : 2e trimestre 1979
N° d'édition : 186 — N° d'impression : 4236